D0399589

EN VOITURE, SIMONE !

Véritable best-seller en France, le premier roman d'Aurélie Valognes, *Mémé dans les orties*, connaît également un beau succès à l'étranger notamment au Royaume-Uni et aux États-Unis.

Paru au Livre de Poche :

MÉMÉ DANS LES ORTIES

AURÉLIE VALOGNES

En voiture, Simone !

MICHEL LAFON

Ce roman a paru initialement sous le titre
Nos adorables belles-filles aux éditions Michel Lafon.

ISBN : 978-2-253-07056-6 – 1re publication LGF

À Jules et Gaspard,
Et à mes futures adorables belles-filles…

On dit qu'un couple sur trois divorce
à cause de leurs beaux-parents.
Mais combien de beaux-parents s'écharpent
à cause de leur belle-fille ?

1

Joyeux Noël Félix !

Jacques avait toujours été du genre à dépasser les limites. Alors, le soir du réveillon, quand sa femme et lui se retrouvèrent dans la salle de bains pour se préparer, Martine trouva important de rappeler à son mari qu'il ne s'agissait pas d'un Noël comme les autres. Il fallait être irréprochable, l'équilibre de la famille en dépendait.

— Tu te tiens bien ce soir, s'il te plaît. Pas de disputes avec les enfants, pas de remarques déplacées à tes belles-filles. Il ne faudrait pas faire peur à la nouvelle, insista Martine la bouche entrouverte, remettant une couche de mascara.

Elle se regardait dans le miroir, vérifiant si sa nouvelle robe l'avantageait ou non. Avec son mari à côté d'elle, le reflet renvoyait l'image d'un couple qui avait été très beau et dont les seules marques du temps étaient les cheveux poivre et sel de Jacques, et quelques rides d'expression sur leurs visages, traces de fatigue, de petits soucis et de fous rires en famille.

— Si celle-là pouvait être la bonne pour Nicolas, enchaîna-t-elle. Elle s'appelle comment, déjà ? Jeanne, c'est ça ? Ça me stresse de devoir retenir un nouveau prénom à chaque fois ! J'ai peur de gaffer. Et puis, si on pouvait arrêter de faire peindre un nouveau bol chaque année, on gagnerait de la place dans les placards. Mais, tu m'écoutes au moins, Jacques ?

— Tu es sûre du jaune ? demanda celui-ci en grimaçant devant la couleur flashy de la robe de son épouse.

— Tu n'y connais rien en mode ! coupa Martine en jetant un regard dédaigneux à son mari.

Absorbé à faire rentrer son ventre dans sa nouvelle chemise ajustée, le père de famille était ailleurs. S'il y avait une chose qui lui tenait à cœur, c'était le respect des traditions. Et la tradition, dans la famille Le Guennec, c'était le chevreuil à Noël. La responsabilité de la cuisson à basse température avait toujours été celle de Jacques mais, comme à chaque réveillon, cela le rendait irascible. Il ne fallait surtout pas que la viande soit trop cuite, sous peine de gâcher sa soirée, et par conséquent celle de tout le monde. Le stress avait commencé chez le boucher quand il avait dû choisir entre deux pièces, l'une trop petite, l'autre trop grosse. Puis cela avait continué avec le choix du vin pour la sauce. Et depuis près d'une heure, il scrutait sa montre et demandait, inquiet, à Martine :

— Mais tu ne penses pas que cela va être trop cuit si je laisse le chevreuil quatre heures dans le four ?

Sa femme, d'une patience extrême depuis près de quarante ans, répondit calmement à son mari qui s'énervait désormais à cause d'un épi indomptable.

— Tu devrais t'installer dans la cuisine pour te préparer. Tu serais plus serein et moi aussi ! Tu ne te souviens pas de l'année dernière ? La cuisson était parfaite, non ? Donc, vu le poids du chevreuil, quatre heures de cuisson ce sera très bien ! Tu as ta sonde, de toute façon ! Peux-tu m'aider à remonter ma fermeture Éclair dans le dos, s'il te plaît ? demanda Martine avant de chantonner en yaourt une chanson d'amour qu'elle appréciait beaucoup. *Only youuuuu !*

Sans l'aider, Jacques quitta précipitamment la salle de bains et dévala les escaliers pour aller vérifier le four. Quand il remonta, il semblait contrarié, ce que sa femme ignora superbement. Elle comptait passer une bonne soirée, et ce dès à présent.

Elle remettait sa frange brune en place. Sa coupe de cheveux au carré, la même depuis des décennies, lui donnait un petit air espiègle, surtout avec son nez retroussé et ses yeux ronds. Avec les années, elle ressemblait de plus en plus à cette actrice américaine, Sally Field, qui avait tenu le rôle de la mère de famille dans *Madame Doubtfire*.

D'une main assurée, elle appliqua au gros pinceau un peu de blush rose, puis redessina ses lèvres qu'elle trouvait trop fines. Une moitié de bouche faite, elle se tourna vers son mari.

— Je suis inquiète quand même. Il n'est *vraiment* pas facile, notre Nicolas. Il a toujours eu un caractère de cochon. Je ne sais pas de qui il peut tenir ça, poursuivit-elle en regardant Jacques du coin de l'œil. Peut-être qu'il aurait dû attendre encore un peu avant de nous la présenter ? Avoir à supporter le fils et le père en même temps, ça va lui faire un choc à Jeanne. Tu m'écoutes ? Arrête de stresser pour ton chevreuil. Si tu cesses d'ouvrir le four toutes les dix minutes, il sera fondant comme tu l'aimes. Zippe-moi, plutôt !

— J'aime quand tu me parles comme cela, plaisanta Jacques en remontant la fermeture Éclair de la robe. Tu es très belle ce soir ! dit-il en entraînant sa femme dans une valse improvisée.

— Vraiment ? Moi, j'ai l'impression que tout dégringole et qu'on ne voit que mon ventre !

rétorqua Martine en s'arrêtant pour s'observer à nouveau dans le miroir.

Jacques prit son épouse par la main et la détailla des pieds à la tête. Elle était petite, menue, et avait gardé un corps ferme que beaucoup de femmes de plus de soixante ans lui enviaient.

— N'importe quoi, chérie. Tu es magnifique, il n'y a que toi pour te trouver des défauts ! Et tu sens si bon… ajouta Jacques en enfouissant son nez dans sa nuque. Ce sont des collants ou des bas ? interrogea-t-il en lui caressant la cuisse.

— Oh pas maintenant ! J'aimerais bien, mais on va être en retard ! Ils débarquent dans moins d'une heure et on n'est pas prêts. Il faut encore cacher les cadeaux des petits-enfants avant qu'ils n'arrivent. J'ai hâte de les voir : ils ont sûrement encore grandi !

— J'ai envie de t'enlever cette robe… insista Jacques en embrassant le cou de sa compagne langoureusement, jusqu'à la faire glousser comme une gamine.

— Et moi, j'ai envie que tu sois irréprochable avec tes fils, que tu fasses la conversation aimablement à tes belles-filles et que tu ne restes pas accroché à ton portable. OK ? dit-elle de son air le plus inflexible. Et si c'est le cas, ce soir, après le dîner…

— Prenons déjà un petit apéritif… proposa Jacques avec son sourire le plus charmeur.

Le couple s'éclipsa dans la chambre, d'où retentirent des rires, des bruits de chaussures jetées au sol et des « attention à mes cheveux ». Le temps se suspendit jusqu'à ce que la sonnette de la porte tinte.

— Déjà ? Mais ils sont en avance ! s'exclama Martine en voyant 20 h 10 au radio-réveil. Merd… !

— Fais attention aux gros mots. Avec les petits qui font la police, ça va encore nous coûter trente euros la soirée ! Dehors ou dedans, la chemise ?

— Dehors, sinon ça te boudine. Tu as vu ma chaussure gauche ? Elle est où ?

— Ça me boudine ? Tu es sympa, toi !

Martine et Jacques dévalèrent les escaliers jusqu'à la porte d'entrée. Recoiffés, défroissés et les joues rouges, ils prirent une grande inspiration et firent un dernier point d'équipe.

— Bon, on récapitule : ce soir, pas de remarques désagréables à tes belles-filles, pas de portable, et tu fais attention à ton cholestérol. Tu ne te sers pas deux fois, entendu ?

— OK, patronne ! acquiesça Jacques en embrassant sa femme sur la bouche. Et c'est parti ! Advienne que pourra !

2

Les chiens ne font pas des chats

Derrière la porte, une seule petite silhouette, toute fluette. Antoinette.

— Maman ? Mais qu'est-ce que tu fais déjà là ? demanda Jacques. On n'avait pas dit 21 heures ? Attends, donne-moi ton manteau.

Cachée sous son chapeau qu'elle réservait aux grandes occasions, la vieille dame semblait nager dans son manteau d'hiver. À ses pieds, deux énormes sacs remplis de paquets emballés avec soin.

— Débarrasse-moi plutôt des cadeaux des petits. Ils sont de plus en plus lourds les jouets, de nos jours. Mais tu es resplendissante, Martine, ajouta la nonagénaire en embrassant sa belle-fille. Le jaune te va très bien.

— C'est très aimable, Antoinette. Comment allez-vous ? demanda Martine en prenant le manteau de la vieille dame.

— Ne parlons pas des choses qui fâchent, veux-tu ? C'est une nouvelle robe que tu portes là ?

— Effectivement, elle est neuve. Merci d'avoir remarqué, Antoinette, répondit Martine en jetant un coup d'œil réprobateur à son mari.

— Je me permets d'entrer, sinon on va tous attraper la mort à rester dans les courants d'air, fit remarquer la vieille dame.

Antoinette avança dans la grande maison familiale où son fils Jacques habitait depuis plus de trente-cinq ans avec sa femme, et où leurs trois garçons avaient vécu une enfance heureuse avant de quitter le nid familial quelques années plus tôt. La vieille dame résidait depuis toujours à Dinan, sur la côte nord de la Bretagne, et avait été ravie que son fils décide de venir habiter tout près de la maison qu'elle occupait désormais seule depuis plus de dix ans.

C'était une très grande et belle bâtisse bourgeoise du début du XXe siècle, dont Jacques, ingénieur de chantier, avait dirigé la rénovation. Sur trois niveaux, la maison avait l'allure typique de la Bretagne Nord avec ses pierres de pays, ses petits volets blancs et son jardin verdoyant au fond duquel Jacques avait installé un potager où chaque plant qui grandissait le rendait très fier. Quatre chambres et un petit bureau avaient été aménagés aux étages supérieurs pour accueillir avec aisance une famille nombreuse. Au rez-de-chaussée, un grand salon avec cheminée et une cuisine tout équipée. L'unique petite salle de bains avait été longtemps le théâtre de batailles d'eau dans la baignoire et de coups de coude au-dessus de l'évier.

Cette maison avait bien vécu : malgré l'absence d'enfants désormais, elle avait gardé son âme, avec ses odeurs de parquet ciré et de feu de bois, avec ses murs quelque peu défraîchis et habillés de photos de famille, traces nostalgiques de cette vie passée. On y voyait de très jeunes enfants que l'on retrouvait plus âgés sur d'autres. Avec son sourire parfait, on pouvait deviner que l'aîné, Matthieu, avait été un bon élève, un gentil garçon obéissant. Le cadet, Alexandre, semblait être le farceur, toujours à faire le guignol avec des grimaces improbables qui auraient pu gâcher la photo parfaite si Nicolas, le petit dernier, n'affichait constamment un air boudeur, les bras croisés en signe de terrible colère.

Les trois fils, malgré leurs caractères si différents, avaient toujours été soudés, et ce n'était pas par hasard si aujourd'hui ils habitaient tous en région parisienne. Ils avaient besoin de pouvoir se voir régulièrement.

L'odeur alléchante qui emplissait la maison réveilla l'estomac d'Antoinette.

— Allons dans la cuisine, Martine. Je vais te donner un coup de main. Jacques, rends-toi utile, veux-tu, et jette les bouteilles en verre que j'ai apportées et qui sont restées dans mon coffre. Je ne sais pas pour quelle obscure raison les ramasseurs du verre ne sont pas passés chez moi cette semaine. Je vais aller à la mairie après-demain pour leur remonter les bretelles. Ce n'est pas la première fois qu'ils me font ce genre d'entourloupe !

En entrant dans la cuisine, elle se précipita sur le four pour vérifier la cuisson du chevreuil. Elle ne fit aucune remarque, ce qui signifiait que la bête rôtissait comme elle l'avait enseigné à son fils.

Martine installa sa belle-mère à la table de la cuisine avec un petit verre de sauternes tandis que, comme chaque année, elle préparait des toasts au foie gras.

— Profitons de l'absence de Jacques. Comment va-t-il ? demanda la vieille dame, inquiète, en attaquant son verre de liquoreux.

Martine reposa le pain aux figues qu'elle était en train de trancher et se pencha vers sa belle-mère pour répondre à voix basse :

— Eh bien, si vous lui demandez, il vous dira que tout va très bien, qu'il est débordé, que les gars du chantier passent leur temps à le solliciter. En réalité, ses patrons l'ont mis en retraite anticipée et ils ont choisi un petit jeune, un ingénieur à peine sorti de l'école, pour le remplacer. Il n'a quasiment plus rien à faire.

— Placardisé à soixante-deux ans, le pauvre ! Il ne nous fait pas un « burnoute », au moins ? s'exclama Antoinette.

Martine vérifia par la fenêtre que Jacques était encore loin et reprit ses préparatifs :

— Un burn-out ? Je ne sais pas, mais en tout cas il ne dort pas bien et reste accroché à son portable en espérant que ses collègues l'appellent pour lui dire qu'ils ont besoin de lui.

— Il a maigri, non ?

— Oui, cinq kilos.

— Que veux-tu, compatit Antoinette. Et toi, comment te sens-tu ? Tu fais bien attention à te ménager ? Et ta tension ?

Si la santé de Martine avait toujours été fragile, depuis quelques années elle devait faire encore plus attention à ne pas se surmener. Elle perdait fréquemment connaissance et s'était fêlé deux côtes quelques mois plus tôt en s'effondrant à la caisse de la librairie où elle travaillait, à la suite d'un malaise. Si toute la famille avait pris l'habitude de taquiner Jacques avec son cholestérol, ils s'inquiétaient désormais sérieusement pour Martine, qui continuait de se charger de tout à la maison.

— Ça va. Je lève le pied à la librairie. Je vais partir à la retraite à la fin de l'année prochaine, c'est déjà réglé avec mon collègue. J'espère juste que, d'ici là, Jacques aura accepté de passer le flambeau. Il est de plus en plus irritable et ça devient difficile de le supporter tous les jours.

— Plus irritable que d'habitude, c'est possible ça ? Ça promet pour ce soir ! En parlant de contrariété, vous êtes au courant que Laura vient dîner ce soir finalement ? Ton fils t'a prévenue ?

Leur deuxième fils, Alexandre, était en couple depuis près de trois ans avec Laura. Ils habitaient à Paris et, l'année précédente, ils avaient réveillonné à Dinan, chez Martine et Jacques, dans une ambiance plutôt houleuse. Il avait été convenu que cette année Laura ne se joindrait pas à eux.

— Quoi !?! Mais je n'étais pas au courant ! Alexandre ne m'a pas prévenue, s'agaça Martine en saisissant son portable et en découvrant un message non lu. Et merd… ! Elle ne mange jamais rien !

— Surveille ton langage, Martine, la réprimanda Antoinette. Tes petits-enfants sont devenus intransigeants avec les gros mots ! Alors ? C'est bien ça ? Laura vient dîner ce soir ?

— Oui, mais je l'apprends à l'instant et je n'ai aucun cadeau pour elle ! Ma belle-fille va me détester…

— Oh, et à propos, ton autre belle-fille, Stéphanie…

— Quoi ? Qu'est-ce qu'il y a encore ?

— Rien, elle est à nouveau enceinte, mais elle fait semblant que non, sauf qu'elle n'avale vraiment rien. Bref, tu avais prévu quoi pour le dîner ?

— Foie gras, saumon fumé, huîtres et chevreuil… La catastrophe ! Mes deux belles-filles vont me haïr, affirma Martine, paniquée.

Ce dîner n'était vraiment pas optimal pour une femme enceinte. Mais comment Martine aurait-elle pu deviner ? Matthieu, son fils aîné, exagérait de ne pas l'avoir prévenue. Elle essuya ses mains pleines de foie gras sur son tablier, ouvrit tous les placards de sa cuisine et soupira, désemparée :

— Antoinette, vous croyez que j'ai le temps d'aller au Monoprix ? Il n'est que 20 h 35, si je me dépêche…

Martine n'eut pas le temps de terminer sa phrase que déjà retentissait l'Interphone du portail.

— Et m… mince ! lâcha Martine, sentant le stress monter.

3

À la bonne franquette !

S'efforçant de reprendre une voix enjouée, Martine répondit :

— Oui ? Qui est-ce ?

— C'est moi, tu ouvres ? demanda peu aimablement son époux, revenu de la benne à ordures. Martine poussa un ouf de soulagement.

Enfilant son manteau par-dessus son tablier, elle se décida à abandonner sa belle-mère pour filer au supermarché. Quand elle croisa son mari dans l'allée, elle lui exposa rapidement la situation. Jacques l'arrêta net :

— C'est ridicule, tu ne vas pas y aller maintenant. Ils sont déjà là. En train de se garer.

— Oh non ! Bon, qu'est-ce qu'on leur fait à manger à nos deux belles-filles ?

— Tu as prévu quoi pour les petits ? demanda Jacques.

— Ne me dis pas qu'en plus j'ai oublié de prévoir pour mes petits-fils ? Oh le stress ! gémit Martine en trottant vers la maison.

Antoinette tira les deux époux dans la cuisine et leur servit à chacun un verre de vin.

— Tenez, buvez, ça ira mieux !

Martine tremblait de tout son corps et son cœur battait la chamade. Au moins, ce petit verre de sauternes la réchauffait. Beaucoup plus serein, Jacques, après s'être lavé les mains, contrôla avec la sonde la température à cœur de son chevreuil. Il sourit.

— Mais moi, ça va très bien, maman. C'est Martine qui fait tout un cirque pour trois fois rien. On va bien trouver des noix de cajou et des asperges en boîte pour nos belles-filles, et ça sera très bien. Nos placards débordent. Espérons juste que ce ne soit pas périmé.

— Des asperges en boîte pour le réveillon ? Elles vont vraiment nous détester. Tu n'as pas du Canigou, pendant que tu y es ?

Martine grimpa sur une chaise en bois et, soutenue par son mari, sortit deux bocaux d'un placard.

— Tiens Jacques, toi qui as des yeux. Tu peux me lire la date qui est inscrite sur cette conserve ?

Il saisit ses lunettes de vue dans la poche de sa chemise et les plaça sur son nez :

— 2008. Mais ça se périme vraiment le caviar d'aubergines ?

Lui qui ne voyait aucun problème à déguster des yaourts périmés depuis plus de deux mois aurait avalé les deux conserves sur-le-champ si Martine ne les avait pas déjà expédiées à la poubelle. Elle avait de nouveau la tête au fond des placards.

Antoinette, son verre vide et son intérêt décroissant pour la conversation, lança un autre sujet. Elle était décidée à prêcher le faux pour savoir le vrai :

— Ce n'est pas que vos discussions ne m'intéressent pas, mais… Alors, toi, Jacques, comment ça se passe au travail ? Il y a une nouvelle équipe sur les chantiers que tu surveilles ?

— Moi, c'est simple : je suis dé-bor-dé ! Mes gars passent leur temps à m'appeler. On dirait qu'ils ne sont pas capables de se débrouiller sans moi. C'est limite si j'ai pu avoir deux jours pour Noël. Et puis, ils m'ont collé un nouveau à former, pas très fute-fute. Mais bon, vaut mieux ça que l'inverse !

La vieille dame esquissa une moue boudeuse. Son fils avait hérité d'une fierté excessive et était passé maître dans l'art de dissimuler toute information qui ne le mettait pas à son avantage. Elle n'insista pas et se mit à racler du doigt la terrine dans laquelle sa belle-fille avait préparé le foie gras du soir.

Jacques, un œil sur le four et les mains sur les fesses de sa femme pour l'aider à tenir en équilibre sur sa chaise, sursauta quand le grille-pain éjecta un toast que plus personne n'attendait. Antoinette, plus rapide que les autres, se contorsionna sous la table pour l'attraper.

— Il ne faut pas être cardiaque chez vous ! commenta-t-elle.

— Bon, mais qu'est-ce qu'ils font ? s'impatienta Jacques. Ils étaient déjà dans la rue, il y a dix minutes : il ne leur faut pas trois jours pour arriver jusqu'à la maison, quand même ! Tu trouves quelque chose, Martine ?

— Rien du tout. Ça me déprime !

— Laisse tomber. Ils n'avaient qu'à prévenir. Et pour le gibier, donc, je laisse combien de temps ?

— Tu as mis la minuterie, non ? Alors, jusqu'à ce que ça sonne ! répondit Martine, exaspérée.

Au même instant retentit la sonnerie de la porte. Les trois comparses tressaillirent dans la cuisine. Jacques lâcha un « Ah enfin, ce n'est pas trop tôt ! » ironique.

4

On ne choisit pas sa (belle-)famille

Derrière la fenêtre de la cuisine, les trois fils, collés serrés, faisaient des grimaces et des dessins équivoques sur la vitre gelée. Martine, descendue de sa chaise, leur souriait tout en murmurant, sans remuer les lèvres, à l'intention de son mari :

— Le cadeau de Laura ! Jacques, file à l'étage, regarde parmi ceux que l'on n'a pas encore attribués. Prends n'importe lequel et redescends au plus vite, s'il te plaît.

— Ne t'inquiète pas, j'avais prévu quelque chose pour elle. Je comptais lui donner une prochaine fois. Je le mets sous le sapin et je vous rejoins.

— Bon, on va leur ouvrir ou ils passent le réveillon à claquer des dents dehors ? demanda Antoinette en claudiquant vers la porte d'entrée. J'ai bien fait d'arriver en avance, moi…

Sur le seuil, ils étaient huit, grelottants mais souriants. Les Le Guennec au grand complet. Tout d'abord, la petite famille de Matthieu, avec sa compagne Stéphanie et leurs deux enfants, Paul et Jules, cinq et trois ans. Alexandre, venu contre toute attente avec Laura. Et enfin, Nicolas, qui présentait pour la première fois sa nouvelle petite amie, Jeanne.

Cela faisait plusieurs mois que les trois fils n'avaient pas été réunis, et les voir ensemble, devant leur maison d'enfance, serra le cœur de Martine. Les garçons embrassèrent tendrement leur mère et leur grand-mère, puis donnèrent une accolade à leur père, encore essoufflé de sa course à l'étage.

Cachée derrière un bouquet de fleurs, la nouvelle arrivée, Jeanne, fit une bise timide à ses beaux-parents. La jeune trentenaire était belle, rousse, et très souriante. Quand elle offrit les fleurs, en remerciant pour l'invitation, ses beaux-parents découvrirent un accent marseillais chantant. Nicolas tendit une bouteille à ses parents :

— Choisi pour vous par notre sommelière Jeanne. J'ai dû dévoiler un peu le menu mais je pense que ce cru vous plaira.

Nicolas entra dans la cuisine pour y déposer la bouteille. Il s'apprêtait à carafer le vin quand il remarqua l'effluve aromatisé qui embaumait la pièce :

— Hum, ça sent délicieusement bon, maman. Ça me donne faim ! Est-ce que je peux t'aider à quoi que ce soit ?

— Non merci, monsieur le cuisinier. Je te rappelle que tu es de repos aujourd'hui. Profite de tes frères. Et puis, j'ai fini de toute façon. Passons au salon.

Jacques, qui se sentait floué, précisa :

— Je te fais remarquer que ce que tu sens, mon fils, c'est un fumet de chevreuil, annonça-t-il, espérant recueillir les lauriers pour le dîner qu'il avait cuisiné. Et pour le moment, je suis assez fier : il semble parfaitement tendre. Tu m'en diras des nouvelles !

Nicolas était chef dans un grand restaurant parisien. Passionné et talentueux, il y avait gravi avec succès les échelons, pour la plus grande fierté de ses parents. Son emploi du temps laissait peu de place à une vie sociale développée, notamment à cause des week-ends où il travaillait. C'était donc à son travail qu'il avait rencontré Jeanne. La belle rousse était la sommelière du restaurant et, depuis près de dix mois, ils filaient le parfait amour.

Dans le séjour, Antoinette faisait diversion auprès de Paul et Jules, ses deux arrière-petits-enfants, pendant que tous s'efforçaient de cacher les cadeaux dans la pièce du fond. Jacques, Martine et Nicolas les rejoignirent dans le salon.

— Bon, vous couchez les petits, qu'on commence les festivités ? lança Jacques.

Tous se retournèrent vers lui pour vérifier s'il plaisantait ou non. Mais il semblait extrêmement sérieux. Martine prit les choses en main.

— Attends, répliqua-t-elle. Les enfants viennent à peine d'arriver. Ils vont prendre l'apéritif avec nous ? Ça te va, Stéphanie ?

— Oui, si cela ne vous dérange pas, ils peuvent rester jouer un peu, dit-elle avec un regard appuyé en direction de son beau-père. C'est Noël, tout de même ! Et quand on passe à table, je les couche. Ils ont déjà dîné, de toute façon.

— Très bien, mais c'est moi qui m'occupe du gibier, ajouta Jacques, et je ne voudrais pas qu'il soit trop cuit. Je vous mets un peu de musique ?

Il se leva et chercha, dans son importante collection, le disque idéal pour le dîner. Après avoir longtemps hésité, il poussa un râle de contentement et revint s'asseoir avec ses invités. La nouvelle venue, Jeanne, esquissa un sourire en reconnaissant dès les premières notes la voix du chanteur. Nicolas l'avait prévenue : ils risquaient d'avoir droit à Michel Sardou à un moment donné de la soirée. Mais dès l'apéritif, elle ne l'aurait pas parié. Jacques était donc un vrai fan !

La maîtresse de maison virevoltait autour de ses convives en les houspillant :

— Asseyez-vous, vous n'allez pas rester debout toute la soirée quand même. Zou ! Champagne pour tout le monde ? À moins que notre sommelière suggère autre chose pour commencer ?

— Du champagne, ce sera parfait. Voulez-vous que je le serve, que je m'occupe du vin ce soir ? proposa Jeanne.

— Surtout pas, malheureuse ! intervint son beau-frère Matthieu en souriant, c'est chasse gardée ici. D'ailleurs tu as intérêt à aimer les vins légers. Pour ne pas dire la piquette !

— Comment ça, la piquette ? rétorqua Jacques. J'avais prévu de vous servir mon petit Label Rouge de 2005 que j'ai déniché chez mon caviste, mais si vous faites la fine bouche, je le boirai tout seul, ne vous inquiétez pas !

— Donc neuf coupes, c'est cela ? poursuivit Martine en tendant la bouteille à Alexandre pour qu'il serve.

— Pas pour moi, prévint Stéphanie.

— Ah ! Une annonce ! Quelque chose à nous dire ? la titilla Alexandre en faisant sauter le bouchon du champagne. Vous savez, Matthieu et Stéphanie, qu'à partir de trois enfants, vous allez devoir changer de voiture.

— Je pose une option sur votre Golf, dit le plus rapidement possible Nicolas, comme s'il s'agissait d'une vente aux enchères.

— Mais pourquoi ils en feraient un troisième ? coupa Antoinette. Ils sont bien les deux premiers !

— Pas d'annonce de notre part, intervint Matthieu, en revanche je voudrais complimenter maman pour la belle chemise neuve qu'elle a réussi à faire mettre à papa. Et les chaussures ! Tu as presque l'air classe, papa. C'est pour ta nouvelle belle-fille, Jeanne, que tu as fait un effort ? Je ne me souviens pas que Stéphanie et Laura aient eu droit à de tels égards…

— C'est le moins qu'on puisse dire, commenta Antoinette, plus effrayant qu'autre chose pour la nouvelle venue…

— Bon, heu, c'est ma fête ou quoi ? Ce que je constate surtout, c'est qu'on parle, on parle, mais on ne mange pas beaucoup ! Qu'est-ce que tu as prévu pour l'apéritif, Martine ? Il est déjà 21 h 20 ! dit-il en tapotant le cadran de sa montre.

Martine jeta un œil noir à son mari :

— Je te remercie de me proposer ton aide ! Tu verras, c'est dans le frigo. Et si tu peux faire griller les toasts aussi, tu seras bien aimable !

Jacques se leva en grommelant pour rejoindre la cuisine.

Il y était depuis bien cinq longues minutes, on entendait des bruits de placards, de grille-pain et des « aïe, ça brûle » à répétition, mais toujours pas de toasts en vue. Finalement un hurlement retentit : « Martiiiiine ! C'est où dans le frigo, je ne trouve pas ! »

— Excusez-moi, je reviens, fit-elle en filant vers son mari.

Provenant de la cuisine, un « et merde... » s'invita alors dans le salon. Antoinette, installée dans son fauteuil, s'empressa de préciser pour Jeanne :

— Je m'excuse par avance pour le manque de bonnes manières de mon fils. Je n'ai pas appris à Jacques à parler comme cela...

Antoinette se tourna alors vers Stéphanie et chuchota :

— À moi, vous pouvez le dire. Stéphanie, tu es enceinte ou non ? Je connais les précautions habituelles, attendre trois mois, tout ça, mais qui sait si dans trois mois je serai encore de ce monde !

— Bien tenté, mais non ! répondit Stéphanie, agacée. On a le droit de ne pas boire de temps en temps sans être tout de suite soupçonnée d'être enceinte, enfin ! Si vous voulez tout savoir, on a eu des amis à dîner hier soir et j'ai un peu trop bu. C'est tout !

— Tu as la gueule de bois ! résuma Nicolas. Bravo, la mère de famille !

— Mais laissez-la donc tranquille, intervint Martine, revenant de la cuisine, le plateau de toasts au foie gras entre les mains. Faites un peu de place sur la table basse, s'il vous plaît. Moi, à l'âge de Stéphanie et Laura, j'avais déjà trois enfants. Ce serait donc *normal* si elle était à nouveau enceinte, mais chacun son rythme. Qui veut de la confiture de figues ?

Jacques, à nouveau installé sur le canapé, loucha sur le pot qui lui passa sous le nez.

— Pas pour toi chéri, on limite les excès ce soir.

— Maman, arrête de mettre la pression à tes belles-filles, reprit Matthieu. Tu étais enceinte de moi alors que tu terminais tes études. Personne ne ferait ça aujourd'hui. Quand on a un vrai métier, on fait tout pour le garder.

— Quelle pression ? Je suis déjà grand-mère de deux adorables amours. Que Paul et Jules aient un petit frère ou un petit cousin, cela n'a aucune espèce d'importance, dit Martine en caressant la tête blonde de Jules. Mais j'espère quand même avoir une petite-fille un jour ! Vous n'êtes pas d'accord, Antoinette ?

Stéphanie jeta un regard noir à Matthieu, qui lança :

— Allez, sur ce, portons un toast à la dernière arrivée dans cette famille de fous, Jeanne, et à nous tous, réunis pour ce réveillon ! Santé !

Les verres s'entrechoquaient quand le patriarche se leva.

— Jacques, où vas-tu comme ça ? râla Martine en voyant son mari s'échapper alors que tout le monde était prêt à commencer les festivités. Peux-tu laisser ton gibier *une minute* et venir t'asseoir pour trinquer avec nous ? Tout le monde prendra des huîtres ? Stéphanie ?

De retour avec un plateau en argent dans les mains, Jacques précisa fièrement :

— Ce sont des huîtres de Cancale !

— Et ? demanda sa belle-fille Laura.

— Eh bien, elles sont censées être meilleures car… hésita Martine. On va laisser notre expert en gastronomie nous expliquer. Alexandre ? Heu, Matthieu ? Heu, merde, je vais finir par y arriver, Nicolas ! Ne dit-on pas que celles de Cancale sont les meilleures ?

— Mamie, deux euros ! dit Paul sans relever la tête de son circuit de voiture.

— Non, un euro, mon cœur, je n'ai dit qu'un « mauvais mot ». Tu ne veux pas plutôt reprendre un bretzel ? tenta la grand-mère, essayant de corrompre son petit-fils avec un gâteau apéritif.

— Avec le gros mot de papy dans la cuisine tout à l'heure, ça fait deux euros en tout ! Et je préfère reprendre une tranche de pâté de Noël.

— Du foie gras ? demanda Jacques au petit bonhomme qui acquiesça tout de suite.

— Il a quel âge déjà, celui-là ? Cinq ans, c'est ça ? fit Alexandre. Ça promet !

— Donc, pour vous répondre sur les huîtres, continua Nicolas…

— On s'en fiche, non ? l'interrompit Laura.

— Je disais donc, poursuivit le jeune cuisinier en piquant une huître avec sa fourchette, que c'est surtout une affaire de goût. Certains les aiment plus iodées, d'autres plus charnues, avec une mâche plus ou moins…

— Je crois que je vais vomir, dit Stéphanie. On change de discussion, s'il vous plaît ?

— Surtout qu'on a eu exactement la même l'année dernière ! commenta Antoinette en engloutissant bruyamment une huître.

Après que les premiers verres furent vidés et les coquilles d'huîtres entassées sur le plateau, Jacques se leva et annonça :

— Vu que le gibier sera prêt dans une heure, je propose qu'on passe à table pour l'entrée. Stéphanie, tu couches tes petits ? On leur donnera nos cadeaux demain.

— Vous voulez dire « les cadeaux du Père Noël » ! reprit la belle-fille. Matthieu, tu peux t'occuper de coucher *nos* enfants ? Merci mon cœur.

— Attendez ! Le Père Noël !? Mais moi je l'ai décommandé cette année ! Vous m'avez dit que Paul et Jules n'avaient pas été suffisamment sages… plaisanta Jacques.

Instantanément, Jules fondit en larmes. Stéphanie se leva aussitôt et dit à son compagnon :

— Finalement Matthieu, je me charge de les coucher. J'ai besoin d'une pause !

Martine fusilla son mari du regard, qui prit un air ahuri :

— Ça va encore être de ma faute !

5

On ne fait pas d'omelette sans casser d'œufs

Affalé au fond du canapé, la chaleur de l'âtre réchauffant son visage déjà empourpré par le vin, Jacques était satisfait : il avait réussi à terminer le repas sans faire de boulettes avec la nouvelle venue. Pas comme au réveillon de 2008.

Ce Noël-là, Stéphanie n'avait rien mangé ni bu au dîner, non parce qu'elle était enceinte de son premier enfant, mais parce que son beau-père l'avait passablement énervée. Arrivée en avance, elle avait proposé d'aller chercher Antoinette, qui revenait d'un voyage par le train de fin d'après-midi. La jeune femme avait garé la voiture de ses beaux-parents juste devant la gare et avait retrouvé assez facilement la vieille dame parmi les derniers passagers descendus.

Comme il était encore tôt, elles avaient improvisé une petite balade dans le parc, bras dessus bras dessous, se décidant à rentrer au moment où la lumière déclinait.

Stéphanie voulait laisser un peu de temps aux garçons, pour qu'ils se retrouvent entre eux, sans femme. Elle n'aimait pas particulièrement les heures qui précédaient le réveillon chez les Le Guennec : un machisme ambiant régnait, les trois fils et leur père jouaient à la console comme des ados, riaient grassement devant des bêtisiers diffusant en boucle des chutes toujours plus idiotes, ou encore se disputaient à propos de football, tout cela sans penser un instant à aider les femmes qui s'affairaient en cuisine.

Stéphanie était la seule belle-fille qui avait eu le privilège de venir deux années de suite. Elle aimait à penser que son compagnon, Matthieu, était le plus stable des trois frères. À d'autres moments, elle se disait plutôt qu'elle était surtout la plus stupide des belles-filles de ne pas avoir pris tout de suite la poudre d'escampette, une fois qu'elle eut mieux cerné la famille où elle avait mis les pieds.

Il faut accorder à Jacques que, les boulettes, il n'est pas le seul à en commettre. Cette fois-là, c'était elle qui avait fait fort. Très fort même. Elle ne faisait pas la fière quand elle avait dû appeler son beau-père depuis le garage.

Une erreur, cela arrive à tout le monde. C'était sa première dans la famille Le Guennec, elle espérait aussi que ce serait la dernière, mais c'était moins sûr.

Effectivement, elle aurait pu lire plus attentivement l'indication près du bouchon du réservoir sur la voiture de son beau-père. Mais, à sa décharge, on perd un peu la tête quand on est enceinte. Donc, oui, c'est vrai : diesel, ce n'est pas essence. Mais même s'il n'y avait pas eu mort d'homme, elle avait vraiment cru sa dernière heure arrivée, surtout en voyant la tête paniquée de Martine, en tablier et décoiffée, lorsqu'elle était venue les récupérer au garage.

En franchissant le seuil de la maison familiale ce Noël-là, la tension était électrique. Dans le salon, les garçons étaient debout, silencieux. Jacques s'était enfermé dans la cuisine et hurlait.

— Mais il faut être *débile*, c'est écrit ! Ou alors analphabète ! Qu'elle me dise ce qu'elle préfère…

Martine était entrée dans la cuisine pour calmer son mari. Il était encore temps de sauver le réveillon. On entendait pourtant une petite voix chuchoter encore, sans pouvoir distinguer tous les mots :

— Rendre service, rendre service ? Quand on veut rendre service, la moindre des choses c'est de *vraiment* rendre service. Qui lui a demandé de faire le plein ? Je l'avais fait avant-hier ! Qu'on me redemande un jour de prêter *ma* voiture... Neuve, en plus. Et même pas encore rodée. Trop bon, trop con !

— Calme-toi Jacques. Tu vas effrayer Stéphanie. Allez, ça suffit, personne n'a eu d'accident, on va passer à table et oublier tout ça.

— Oublier ? Mais ça va encore être une histoire à trois mille euros ! Et qui va devoir faire des heures sup' ? Sûrement pas mademoiselle Stéphanie ! Ce n'est pas avec son petit travail pépère à l'assurance qu'elle va se tuer à la tâche. Ça, pour faire les trente-cinq heures, il y a du monde, mais pour allumer son cerveau, et *lire* ce qui est écrit en *gros*, il n'y a plus personne. Mais elle est vraiment débile, ma parole !

Stéphanie, d'abord liquéfiée devant la porte de la cuisine, avait tourné les talons, décidant qu'ils se passeraient tous de la présence d'une débile à leur réveillon. À commencer par son compagnon, Matthieu, incapable de prendre sa défense et de calmer son père.

6

Œil pour œil, dent pour dent !

Alors que le dîner pesait sur l'estomac de Jeanne, qui avait commis l'erreur de débutante de se resservir en chevreuil tant elle l'avait trouvé succulent, elle perçut l'excitation qui envahissait la pièce au moment où minuit approchait. Au premier coup de l'horloge, une pile de cadeaux sur les genoux, chacun s'empressa d'enlever les emballages.

La tradition familiale voulait qu'on les ouvre tous en même temps sans dévoiler qui en était à l'origine. Ce qui permettait d'offrir des cadeaux à « message ». Ainsi, l'abonnement au magazine *Notre Temps* qu'avait souscrit Stéphanie pour Jacques – alors qu'à l'époque, il n'avait même pas encore soixante ans – était passé comme une lettre à la poste. Jacques était même plutôt ravi, louant les articles « de fond très intéressants sur des sujets qui me concernent vraiment ».

Quand Stéphanie découvrit son premier cadeau, un ouvrage sur le rottweiler, elle eut un rictus. Aussitôt elle se dit qu'elle ne s'abstiendrait plus, par mauvaise conscience, d'offrir à son beau-père le petit livre sur le blaireau, qu'elle avait déjà acheté. Après tout, c'était Jacques qui avait ouvert les hostilités quatre ans auparavant en lui réservant l'ouvrage *De l'avoine… au diesel !*, référence lourde à sa bêtise passée pour laquelle elle aurait espéré faire profil bas.

Sa belle-sœur Laura déballait au même moment son dernier cadeau. Le fameux présent ajouté in extremis au pied du sapin. Un livre également, à message aussi, en souvenir du précédent Noël, Noël 2014.

À ce réveillon, Jacques avait cuisiné. Du chevreuil. Il s'était mis en quatre pour tout finir dans les temps. Il était stressé, avait stressé tout le monde, s'était sali, en avait mis plein la cuisine et son tablier était maculé de sang. Quand Laura, la nouvelle belle-fille, était arrivée, elle avait été accueillie par un sourire chaleureux et sincère. Qui, malheureusement, n'était pas resté longtemps sur le visage de Jacques.

Information importante qu'Alexandre, le compagnon de Laura, aurait pu relayer : la dernière venue était végétarienne. Et, pour couronner le tout, elle ne jurait que par le bio. Au grand désespoir de Jacques qui s'était surpassé, la nouvelle belle-fille n'avait donc rien avalé du dîner. Ni chevreuil, ni foie gras. Elle avait juste donné dans la soupe à la grimace.

La discussion avait repris de plus belle sur son activité professionnelle, qui intriguait le patriarche.

— Mais, ça rapporte l'humanitaire ? Parce que c'est bien beau de vouloir sauver le monde, mais il s'agit surtout d'être indépendant financièrement ! On vient à peine d'arrêter de sponsoriser Alexandre, qui, semble-t-il, a fini par « se trouver » avec la photographie, avait dit Jacques en ponctuant le verbe de guillemets manuels. Il faut espérer qu'Emmaüs paie mieux que la photo !

— Nous avons des besoins modestes avec Alexandre, et on y subvient sans problème. Si je ne me trompe, nous ne vous avons jamais demandé d'argent, n'est-ce pas ? avait conclu la jeune femme en se tournant vers son compagnon.

Devant le malaise qui s'était installé entre le beau-père et le couple, Martine avait lancé un autre sujet tout en foudroyant Jacques du regard :

— Et donc, vous avez adopté un chat ?

— Oui, un siamois. Vous le verrez la prochaine fois que vous nous rendrez visite à Paris, avait répondu Laura d'un ton enjoué.

— Avec plaisir. Et quand allez-vous prendre un téléphone fixe ? avait poursuivi Martine.

— Mais, pour quoi faire ? On a déjà nos portables ! Et puis, on n'est pas souvent chez nous.

— C'est quand même plus pratique quand on essaie de vous joindre. Au cas où on passerait dans le quartier un jour et qu'on voudrait vous faire un coucou, par exemple...

— Enfin, maintenant il y a peu de chances qu'on vienne vous voir souvent, avait coupé Jacques. Ce n'est pas que je n'aime pas les animaux, mais je suis terriblement allergique aux chats.

— Comme moi ! Ce n'est pas que je n'aime pas les légumes, c'est que je suis terriblement allergique aux pesticides. Aux sulfites dans le vin aussi, d'ailleurs. Ça me démange le nez, jusqu'à en devenir insupportable, avait conclu Laura.

C'est à ce moment que la moutarde était montée au nez de Jacques. Laura avait jugé bon de passer le reste de la soirée en cuisine, à laver tous les fruits et légumes – malheureusement pas bio –, s'accordant une assiette de réveillon triste à pleurer. Elle avait enfoncé le clou en faisant toute la vaisselle, afin de passer le moins de temps possible dans la salle d'interrogatoire.

Soirée assez tranquille donc pour la végétarienne en comparaison avec le réveillon de Stéphanie, du moins jusqu'à ce que le hurlement strident de Jacques retentisse, alors que chacun se mettait au lit.

— Ah ! Oh ! Aaaah ! C'est glacéééééééé ! Je rêve, José Bové a pris toute l'eau chaude pour ses légumes. Je suis sûr qu'elle l'a fait exprès !

— Chuuuut, Jacques, on va t'entendre. Tu prendras ta douche demain matin, quand la chaudière fonctionnera de nouveau, avait temporisé Martine.

— Et je fais comment pour rincer le shampooing ? Non mais franchement, elle n'aurait pas pu utiliser de l'eau froide !

Le lendemain matin, Laura avait filé à Paris avant même le lever de son beau-père. Martine n'aurait su dire si elle était soulagée ou déçue, ni si sa belle-fille retenterait un jour l'expérience d'un réveillon de Noël avec eux.

7

À chaque pot son couvercle !

Martine était satisfaite. Tout s'était bien passé avec la nouvelle venue. Elle avait vraiment bien fait de mettre Jacques en garde. Il s'était abstenu de lancer ses petites remarques. Et même quand Jeanne avait affirmé qu'elle soutenait l'équipe de football de Marseille plutôt que l'équipe rennaise, elle n'avait pas entendu son « tout le monde fait des erreurs ». Avec Stéphanie et Laura aussi les apparences avaient été sauves. Enfin, presque…

Dans leur chambre, à peine étaient-ils couchés que Laura s'assit dans le lit, ralluma la lumière et dit à Alexandre :

— Tu m'expliques ?

— Quoi ? Qu'est-ce que j'ai fait encore ? demanda Alexandre, perplexe.

— Bah, le cadeau de ton père ! C'est un message ou quoi ?

— Quel cadeau ?

— Le bouquin sur Monsanto.

— Mais non, tu es parano !

— En tout cas, il me cherche ! À me refaire du chevreuil et du foie gras ! Si je pouvais, je me forcerais à tout ingurgiter pour pouvoir tout dégobiller sur sa chemise trop serrée.

— Arrête, tu vois le mal partout, ma chérie.

À l'étage du dessous, Jacques et Martine s'installaient enfin au lit, après une journée épuisante :

— Tu exagères quand même, Jacques. Tu y es allé un peu fort avec Stéphanie.

— Il faut bien que quelqu'un lui dise, non ? Elle aboie sur tout le monde, tout le temps. Et maintenant, sous prétexte qu'elle est enceinte et frustrée, c'est pire que d'habitude. Et puis, le rottweiler a des bons côtés quand même…

— Oui, mais tu aurais pu éviter de lui prendre encore un livre : elle va croire que cela vient de moi… Et tu as offert quoi à Laura, finalement ? Tu ne m'as pas dit.

— Un livre sur les bienfaits des pesticides.

— Ça passe. Et Jeanne, elle a eu droit à son petit livre de bienvenue ? Elle est sympathique, tout compte fait !

— Jeanne ? Non, juste un CD, pas encore de cadeau personnalisé, ça se mérite ! dit Jacques avec un sourire complice. Et pourquoi « tout compte fait » ?

— Bah, avec ses colères, il faut le supporter notre Nicolas. On aurait pu tomber sur une folle, ça n'aurait pas été la première fois, d'ailleurs. Mais il s'est bien comporté ce soir. Si seulement Jeanne pouvait être la bonne ! En plus elle est jolie. Une rousse, ça nous change ! soupira Martine.

— En revanche, son accent marseillais, j'ai vraiment du mal, commenta Jacques. Ça doit la handicaper dans son métier de sommelière, en plus. Comment peut-elle être crédible pour recommander un bordeaux avec l'accent du Roussillon ?

— Laisse son accent tranquille et couche-toi. On a encore une matinée à passer avec eux, il faut que tu sois irréprochable !

Dehors, dans le jardin, Jeanne et Nicolas profitaient enfin d'un moment de répit. Partageant une cigarette, ils suivaient le vol des chauves-souris.

— Tu leur diras que je déteste lire, supplia Jeanne. Stéphanie et Laura ont eu des livres vraiment pourris : sérieusement Nicolas, si je peux éviter de passer les lendemains de réveillon sur eBay à revendre mes cadeaux de Noël, je préfère ! J'espère que ta mère ne se vexera pas. Elle est libraire, non ?

8

Tourne sept fois ta langue dans ta bouche !

La nuit avait été difficile. La maison n'étant pas si grande, ni très bien insonorisée, Paul et Jules avaient réveillé tout le monde, malgré eux, en demandant toutes les heures si c'était maintenant que l'on pouvait ouvrir les cadeaux. À 7 h 30, Stéphanie, Antoinette, Martine, Laura et Jeanne se retrouvèrent donc autour de la table, en pyjama, à boire leur café, en regardant les deux garçons, tout emmitouflés, jouer avec leur nouvel hélicoptère téléguidé dans le jardin.

Pour chacune, la nuit avait été agitée et la digestion compliquée. Laura, qui ne voulait incriminer personne pour son estomac fragilisé, faisait du tri dans les placards avec l'aide de Martine, qui l'avait autorisée à jeter les boîtes de conserve périmées. Jeanne, grosse dormeuse en temps normal et loin d'être du matin, essayait de réveiller doucement son cerveau en faisant les mots croisés du *Monde* mais, à la douzième rature, elle se rabattit sur le Sudoku. Stéphanie, en véritable mère poule, était collée à son Babyphone pour suivre la discussion des petits qui jouaient dans le jardin. Seule Antoinette semblait en pleine forme, à chantonner la chanson de Michel Sardou *Marie-Jeanne* tout en étant plongée dans sa lecture.

— Moi, je ne lis plus que *Le Point*. Les hommes politiques, de droite comme de gauche, ils en prennent pour leur grade ! Et ça fait du bien de temps en temps ! Et vous, que lisez-vous pour vous tenir informées ?

Les trois belles-filles se regardèrent en coin et échangèrent un sourire complice, un peu gêné. De toute évidence, la politique n'était pas leur tasse de thé. Elles esquivèrent la question, quand soudain un chien pénétra dans le jardin et se mit à sautiller aux pieds des garçons pour s'emparer de l'hélicoptère.

— Tata Laura ! Il y a un chien qui pue qui veut nous piquer notre hélico. Viens vite !

Laura sortit et s'approcha du chien.

— Comment tu t'appelles, mon beau ? C'est vrai que tu ne sens pas très bon.

Elle le caressa, regarda à l'intérieur de ses oreilles et constata qu'en plus de ne pas avoir de collier, il n'était pas tatoué. Laura repassa une tête dans la maison et informa qu'elle allait faire le tour du pâté de maisons pour tenter de trouver les propriétaires de l'animal.

Trois heures plus tard, la jeune femme revint enfin, mais toujours avec le chien, tenu en laisse. Cette fois il portait un collier.

— Tu en as mis du temps, chérie ! Tu as retrouvé son propriétaire ? lui demanda Alexandre.

— Non. Mission impossible. Tous les voisins sont partis en vacances. C'est une véritable galère de trouver un vétérinaire de garde le 25 décembre. Et ça m'a coûté deux bras. Mais au moins, maintenant, il est vacciné et a des maîtres. Et un nom. Je vous présente Jack !

Le reste de la famille les ayant rejoints, tous se tournèrent vers le patriarche, qui, comme Antoinette qui chantonnait toujours, ne semblait pas avoir fait le rapprochement avec son propre prénom.

— Mais, vous allez garder ce chien ? Si ça se trouve quelqu'un le cherche, reprit Nicolas. En plus, il est loin d'être beau. C'est un bâtard, non ?

— J'ajouterai que c'est minuscule chez vous. Et vous avez déjà un chat ! Ils vont se faire la guerre ! commenta Jacques, aussitôt sanctionné par le regard noir de Laura.

— C'est quoi, tata, un bâtard ? demanda Paul. Un gros mot ?

— Non ce n'est pas un gros mot, et lui ce n'est pas un bâtard. C'est un jack russel, mon cœur. Un chien de race. Vous pouvez vous abstenir de faire des remarques désobligeantes : c'est décidé, on l'emmène chez nous, à Paris. Le vétérinaire a confirmé qu'il était en bonne santé et qu'il pouvait vivre en appartement avec un autre locataire. Alors on tente l'aventure. Et puis, j'ai laissé mes coordonnées au vétérinaire, au cas où ses anciens propriétaires le chercheraient.

— Bon, on y va Laura ? la pressa Alexandre. Il faut partir maintenant, si on veut être à l'heure pour déjeuner chez tes grands-parents. On a vraiment trop mangé hier soir… Je n'ai pas du tout faim, moi.

— On va y aller aussi, annonça Nicolas. C'était très sympa. Merci encore pour tout, maman. Tu nous as régalés, comme d'habitude. Je te tiens au courant si on vient au ski en février. Normalement, oui. Papa, à bientôt ?

— Toi et Marie partez déjà ? demanda Jacques.

Tout le monde se figea. Jeanne écarquilla les yeux, Martine baissa la tête en fixant ses pieds, pendant que Jacques rembobinait mentalement les derniers mots qu'il avait prononcés. *Marie*… Personne n'osait plus parler. Le silence le plus gênant du monde, propre à figurer dans le *Livre Guinness des records*…

Nicolas finit par briser la glace :

— Oui, Jeanne et moi, on doit filer. Allez, salut tout le monde !

Ils n'avaient pas encore franchi le portail que déjà les hurlements de la jeune femme se faisaient entendre.

— Marie ? Je croyais qu'elle n'était qu'une « amie » ! Tu l'as présentée à tes parents aussi ? Mais tu en as ramené combien ici ? Dis-moi si je dois prendre un numéro, Nicolas…

— Arrête, Jeanne, c'est ridicule, ce n'est pas du tout ça. À tous les coups, c'est à cause de la chanson qu'on a écoutée toute la soirée hier et il s'est mélangé les pinceaux. Il n'est plus tout jeune, tu sais !

— Ne te fous pas de moi, Nico. Dans deux secondes, tu vas m'annoncer que ton père a Alzheimer. Ne me touche pas. Allez, tiens, prends ton billet de train, et laisse-moi tranquille.

Dans le jardin, Matthieu applaudissait son père.

— Bravo papa, tu as fait très fort ! Celle-là, je l'attendais plutôt de la part de maman, mais là, tu t'es surpassé. On y avait vraiment cru… Qu'une fois au moins, tu pourrais ne pas faire de boulettes. Mais, non. Même quand il ne reste plus qu'à faire la bise et dire au revoir, tu arrives à tout faire capoter. C'est dommage, elle avait l'air sympa, Jeanne.

Un bruit se fit entendre provenant du toit. Jacques leva la tête et découvrit Stéphanie, la mère de ses deux petits-fils, en train de secouer la rambarde de la fenêtre du premier étage.

— Ça branle, Jacques ! Ça branle ! Ce n'est pas sécurisé cette barrière. Elle va rester dans la main de quelqu'un, ou pire…

Jacques leva les yeux au ciel. *Toujours à imaginer des drames, celle-là…*

— Nous, à l'assurance, on a eu un cas similaire. Résultat de la négligence : un enfant a fini tétraplégique ! Je sais que vous avez rénové cette maison avec votre équipe, mais parfois c'est bien aussi de faire appel à de vrais professionnels. Vous voulez que je fasse venir un artisan ou vous voulez le réparer vous-même ? En tout cas, moi, je ne fais plus dormir mes enfants dans cette chambre. Avant de partir, je vais faire le tour de l'étage et je vous dirai s'il y a d'autres fenêtres à sécuriser.

Stéphanie rentra la tête à l'intérieur. Devant le sourire narquois de Matthieu, Jacques soupira :

— Arrête de rire, abruti, et va aider ta femme enceinte avec les valises. Et si possible, avant qu'elle ne démonte toutes les fenêtres. Je ne sais pas ce qu'elle fabrique, mais tes enfants vont mourir de chaud couverts comme ça si vous ne partez pas dans la minute ! conclut-il en se tournant vers les deux bouts de chou, raides comme des Bibendum, engoncés dans leurs épaisses doudounes.

— Je te précise qu'elle n'est pas enceinte ! Au cas où il te tiendrait à cœur de ne pas vexer une autre de tes belles-filles, papa… conclut Matthieu.

9

Enfin tranquilles !

Allongés côte à côte sur les transats du jardin, chaudement emmitouflés et lunettes noires sur le nez, Jacques et Martine profitaient d'un rayon de soleil.

— Ah ! Enfin, tranquilles ! lâcha Jacques.

— On les aime beaucoup, tous, surtout les petits, déclara Martine, mais ça fait du bien quand ils partent. Je suis épuisée. Je suis vraiment contente d'avoir encore quelques jours de vacances. Tu ne veux pas aller me faire chauffer de l'eau pour un thé ?

— Mais on ne déjeune pas Martine ? Il est presque 14 heures…

— Je ne me sens pas bien, et je n'ai pas faim du tout. Sers-toi une tranche de viande froide. Il reste aussi du saumon et du foie gras. Mais ne prends pas les trois. Je t'ai vu te resservir *deux fois* hier ! Si tu pouvais éviter de mourir dix ans avant moi, ça m'arrangerait. Je ne passerai pas ma retraite toute seule.

Jacques revint de la cuisine avec une assiette de viande froide accompagnée de moutarde de Meaux et de quelques morceaux de pain.

— Sinon, on reparle de ta gaffe ? lança Martine.

— Oh, ça va ! Tu te trompes tout le temps de prénom pour tes fils, idem quand tu me parles de tes belles-filles.

— Oui, mais ça ne m'arrive jamais *devant* elles !

— Eh bien, il y a un début à tout ! Et si Jeanne résiste à cette épreuve, c'est qu'elle est faite pour notre famille. Car des boulettes, il y en aura d'autres. Et ça changerait d'en avoir une qui ne soit pas susceptible, pour une fois. On ne peut rire ni avec Stéphanie, ni avec Laura ! Elles se vexent pour un rien.

— Pour un rien ? Avec ce que tu leur as déjà dit, tu peux comprendre qu'elles soient sur la défensive avec toi.

Martine regarda son mari engloutir ses deux tranches de viande en quatre bouchées, puis s'enfoncer dans son transat, pour digérer.

— On fait quoi pour le nouvel an, Jacques ? Tu as regardé pour le dîner à Saint-Malo dont je t'ai parlé ? Je réserve ? Et puis, il y a une exposition de peinture. J'aimerais bien aller leur proposer mes toiles, pour une prochaine fois. Houhou, tu m'écoutes ?

Jacques venait de prendre *Le Monde* et s'apprêtait à faire, comme chaque jour, ses mots croisés. Il découvrit alors que quelqu'un s'y était déjà attaqué, et avec très peu de réussite.

— Oui, oui, mais je ne sais pas encore, rétorqua-t-il, absent. Je ne sais pas qui a commencé *mes* mots croisés, mais c'est ni fait, ni à faire. Il y a des fautes partout ! Et c'est tout raturé. Je ne peux pas reprendre ça ! « Du vieux avec du neuf », on a mis : « cougar ». C'est trop court ! C'est « nonagénaire ». Grrr ! Tu me parlais, Martine ?

— Le nouvel an ? Saint-Malo ? Je confirme ?

— Attends avant de réserver. Tu sais que les gars du chantier travaillent pendant les fêtes. Ils vont sûrement avoir besoin de moi. Ils n'ont pas arrêté de m'appeler depuis une semaine. Ils sont perdus sans moi, et le petit jeune, il ne sait pas se faire respecter.

— Jacques, tu devrais lever le pied. C'est ce qu'ils t'ont demandé d'ailleurs, non ? Tu es à cran depuis quelque temps. Dans un an, tu es à la retraite. Il faut qu'ils apprennent à se débrouiller sans toi. Et toi, sans eux... C'est moi qui ai besoin de toi ! J'aimerais que l'on fasse plus de choses tous les deux.

— Mais on aura tout le temps après ! remarqua Jacques.

— Oui, mais ça file trop vite. Ça me fait peur, on ne profite pas assez des moments que l'on passe ensemble et avec notre famille, il faut le faire tant qu'on est en bonne santé.

— Attends, on vient de les avoir tous à la maison, là. Laisse-nous le temps de nous en remettre !

— Je suis sérieuse, Jacques. Je ne veux plus qu'on se dispute avec eux. Ils sont trop importants pour nous. Pour moi, en tout cas.

— Pour moi aussi, chérie ! Pour moi aussi. Ton thé doit être prêt. Je vais te le chercher.

Jacques revint avec une tasse fumante et lui fit un baiser sur le front.

— Tu sais, continua Martine en buvant une gorgée du breuvage bouillant, depuis la mort de papa, j'ai souvent l'impression d'être comme ces personnages de bande dessinée qui courent au-dessus du vide, et ne tombent que lorsqu'ils s'aperçoivent qu'il y a un gouffre sous eux. Et je ne peux rien faire pour échapper à cette chute fatale.

— Mais qu'est-ce que tu baragouines, Martine. Tu as des hallucinations ? J'ai encore confondu la sauge avec tes feuilles de thé ?

10

Voler dans les plumes !

Avachis dans leur canapé, devant la télévision, Martine et Jacques observaient des pseudo-célébrités qui s'embrassaient pour se souhaiter une bonne année. Comme tous les ans, ils n'avaient finalement rien fait de spécial pour le réveillon. « Une fête commerciale pour pigeons », avait résumé Jacques pour s'éviter cette corvée. Et comme tous les ans, leurs téléphones portables n'allaient pas tarder à biper quand ils recevraient les SMS de leurs fils.

Martine se leva et débarrassa la table basse du plateau-repas. Quand elle revint, elle se posta entre Jacques et le téléviseur, et demanda :

— Alors, c'est quoi ta bonne résolution pour la nouvelle année ?

— Écarte-toi, s'il te plaît. Je n'y ai pas réfléchi, de toute façon, les bonnes résolutions, c'est pour les ploucs. On n'a jamais pris de bonnes résolutions, pourquoi cette question ?

— Moi, j'en ai une pour toi. Plusieurs, même. D'abord, j'aimerais que tu prennes soin de toi. En commençant par *vraiment* faire attention à ton cholestérol, et par lâcher ton BlackBerry. Et aussi, ça nous ferait vraiment du bien de prendre des vacances rien que tous les deux, plutôt que de partir au ski avec tout le monde en février. J'adorerais aller au carnaval de Venise. Qu'en penses-tu ?

— Rien que ça ? Mais tu sais bien que cela ne dépend pas de moi ! Ils peuvent m'appeler d'un moment à l'autre pour une inspection sur un chantier. Viens te rasseoir : ils vont annoncer le numéro un du bêtisier de l'année !

— Mais j'en ai rien à fiche, moi, de ce classement débile !

— Tu te gâches vraiment les petits plaisirs de la vie, Martine !

— Tu peux parler ! Tu n'as même pas voulu regarder le mariage de Kate et William. Alors, le carnaval de Venise ? On réserve ?

— Je ne peux pas. Ils ont besoin de moi !

— Jacques, arrête de vouloir te prouver que tu restes indispensable, arrête de travailler sans compter tes heures. Ce n'est pas une compétition, tu n'auras pas de médaille à la fin. Tu t'imposes tout seul un rythme infernal, et ça me fait peur. Tu as remarqué comme tu as maigri ? Tu te rends compte que tu ne dors plus et que tu es devenu cynique ?

— Pas plus que d'habitude, si ? plaisanta Jacques.

— Je suis sérieuse. Il faut que tu fasses ton deuil, que tu cesses de te mentir : elle est finie la période de « Jacques le Magnifique », l'ingénieur en chef qui foutait la frousse à tout le monde sur les chantiers. Maintenant, tu dois penser à toi, à ta retraite.

Jacques secoua la tête pour signifier à sa femme qu'elle racontait vraiment n'importe quoi, mais Martine poursuivit :

— Je m'inquiète pour toi, sincèrement. Tu prends ta santé à la légère. En plus, partis comme nous le sommes, tu m'auras bientôt brouillée avec nos fils, nos belles-filles et je ne pourrai plus voir mes petits-enfants. Ce n'est vraiment pas ce que j'ai en tête pour mes vieux jours.

— C'est bon ? Tu as fini ? Tu es pénible en 2016, Martine ! Qu'est-ce que tu as ? C'est la ménopause qui refait des siennes ? Tu sais bien que ce n'est pas si facile pour moi de m'absenter. En tout cas, pour février, c'est déjà sûr que je ne pourrai pas partir. On restera là.

À bout de nerfs, Martine se dirigea vers la cuisine en emportant la bouteille de vin à moitié bue, puis elle revint sur ses pas :

— Tu ne *peux* pas, ou tu ne *veux* pas ? J'en ai marre que tu ne veuilles jamais rien faire ! Tu me freines ! Quand allons-nous profiter de l'argent que l'on met de côté ? Quand on sera morts ? Parfois j'ai l'impression qu'on est *déjà* morts. On reste toujours chez nous, à rien faire, sans projets. Tu es accroché à ta maison comme une moule à son rocher. Et même pour en prendre soin, car elle tombe en ruine, au cas où tu ne l'aurais pas remarqué, tu rechignes. Tu as remarqué que le thermomètre ne dépasse pas les 16 °C ? Cela me déprime d'avance de passer ma retraite dans ce trou : on gèle, y a pas de lumière, on s'emmerde, on n'entend que le tic-tac de l'horloge, quand tu ne mets pas la télé en fond sonore pour ne pas avoir à me faire la conversation.

— C'est bon, tu as fini ? Et puis, si tu as froid, enfile un pull. Je suis bien, moi.

— Mais j'ai déjà deux pulls ! Tu as mis la main près de la fenêtre : on sent l'air passer. Et, ce n'est pas avec ta cheminée « déco » qu'on va se réchauffer. Qu'est-ce qu'il faut pour que tu te décides à installer du double vitrage ? Que j'attrape une pneumonie ? Tu ne fais tellement pas attention au monde qui t'entoure ! Tu ne sais même pas que j'ai dû m'absenter de mon travail pour aller en urgence à l'hôpital la semaine dernière. Heureusement que mon collègue Daniel était là pour moi, lui !

Jacques découvrit, atterré, cette information. Il tenta de prendre Martine dans ses bras mais elle le repoussa :

— Et pour répondre à ta question : non, j'en ai pas fini avec les bonnes résolutions. J'aimerais aussi que tu commences à prendre un peu soin de *moi*.

Jacques ne put s'empêcher de lever les yeux au ciel tout en attrapant le portable qui venait de biper. La voix de Martine se fit plus aiguë encore :

— C'est ça, vas-y, saute sur la première occasion de m'abandonner !

— C'est ton téléphone, Martine. C'est ma mère qui t'appelle.

Martine saisit l'appareil et prit une grande inspiration pour paraître le plus calme possible.

— Bonsoir Antoinette. Oui, tout va bien. Bonne année à vous ! Non, rien de spécial, et vous ? Hum. Eh bien, vous en avez de la chance, cela avait l'air d'être très sympa, dit-elle, regardant froidement son mari. Si quoi ? Si on peut vous emmener dimanche prochain chez Matthieu pour la galette des Rois ?

Elle se tourna vers Jacques et le fusilla du regard.

— Oui, j'y vais bien sûr, non aucun problème pour vous prendre avec moi. Non, Jacques ne viendra pas. Il a du travail. Vers 10 h 30. Entendu, à dimanche Antoinette.

Quand elle raccrocha, elle se mit à pleurer :

— Même ta mère est invitée chez ton fils, alors que nous, non ! À force de vexer tes belles-filles, tout le monde nous tourne le dos. J'en parlais au futur, mais c'est déjà le cas ! Le pire, c'est que je me sens coupable d'aller chez mon fils sans y être conviée. Mais, je te préviens, tes erreurs ne m'empêcheront pas de profiter de mes petits-enfants. Et ne pense même pas à t'imposer !

Alors qu'elle partait se coucher, Martine s'arrêta en bas des escaliers et hurla :

— Et même ta mère a fait un truc ce soir ! Tu es vraiment un vieux croûton, Jacques. Bonne nuit !

11

En voiture, Simone !

Dans la voiture, Martine culpabilisait d'avoir appelé son fils pour s'inviter à la galette des Rois. Même si Matthieu l'avait rassurée et lui avait dit qu'elle était la bienvenue, elle ne pouvait s'empêcher de penser le contraire. De toute façon, elle avait toujours peur de déranger quand elle se rendait chez son fils et Stéphanie. L'impression d'entrer telle une intruse dans leur antre.

Ils étaient ensemble depuis onze ans et avaient leurs habitudes. C'était sûrement ce que l'on appelle un couple de la nouvelle génération, mais Martine avait parfois l'impression que Matthieu était trop gentil, et que Stéphanie en profitait pour en faire le moins possible. C'était leur mode de fonctionnement, et ce n'était surtout pas à elle d'émettre un jugement – on lui demanderait sûrement de balayer devant sa porte d'abord.

Stéphanie et Matthieu s'étaient rencontrés dans le cadre de leur travail. Elle travaillait pour une compagnie d'assurances et lui comme agent immobilier. Ils avaient trouvé un très bel appartement à Boulogne-Billancourt en banlieue sud-ouest de Paris. Suffisamment loin de leurs beaux-parents respectifs pour n'avoir à leur rendre visite avec les petits-enfants que durant les vacances scolaires.

Antoinette parlait toute seule depuis déjà quelques minutes quand Martine réalisa qu'elle lui avait posé une question.

— C'est vraiment dommage que Jacques n'ait pas laissé son travail pour venir avec nous ! remarqua Antoinette. D'ailleurs, qui travaille le dimanche de nos jours ? C'est légal, ça, Martine ?

— Je ne sais pas. J'espère que oui, sinon je vais commencer à m'inquiéter, compte tenu du nombre de week-ends où il m'a dit qu'il travaillait, ajouta Martine en riant jaune.

— Il y aura qui alors, aujourd'hui ? Jeanne et Nicolas ? Ils sont toujours ensemble, ces deux-là ?

— Pour être tout à fait honnête, je n'en sais pas plus que vous. Souvent, même, vous êtes davantage au courant que moi !

Quand elles arrivèrent à Boulogne-Billancourt, il faisait un froid polaire. Elles s'arrêtèrent dans un bistro pour grignoter un sandwich avant de se présenter à 14 heures chez Stéphanie et Matthieu, les bras chargés d'une belle bruyère d'hiver toute rose pour la maison et d'une bouteille de cidre pour accompagner la galette.

Quand Matthieu leur ouvrit, il les embrassa tendrement et semblait sincèrement ravi de leur présence. Stéphanie, qui avait pris de l'ampleur, était assise dans le canapé, et discutait avec Laura qui était déjà arrivée. On entendait Jean-Jacques Goldman en fond sonore, et plus loin résonnait la voix d'Alexandre, qui jouait au capitaine Crochet avec ses neveux. Matthieu prit la plante et, aidé de Martine, se chargea de faire de la place sur le bar séparant la cuisine du salon. Il leur apprit que Jeanne et Nicolas, bien qu'apparemment toujours ensemble, travaillaient, et ne pourraient donc se joindre à eux.

Martine se dirigea d'un pas faussement assuré vers ses deux belles-filles.

— Bonjour les filles. Comment vas-tu Stéphanie ? Non, ne te lève pas, j'arrive.

— Je me sens très fatiguée. La reprise a été dure à l'assurance. Et vous ?

— Moi, très bien. Beaucoup de pluie ces jours derniers, j'espère que cela va se refroidir un peu avant notre semaine au ski.

Les deux belles-filles se jetèrent un regard en coin, alors que Matthieu proposait un thé chaud aux nouvelles arrivées.

— Je peux vous proposer du thé citron, à la menthe, thé vert ou thé noir. Je n'ai malheureusement plus de thé aux fruits rouges. Qu'est-ce qui vous ferait plaisir ?

— Un thé citron pour moi, répondit Martine.

— Pour moi également, poursuivirent en chœur Antoinette et Laura.

— Il n'y a plus de thé aux fruits rouges ? demanda Stéphanie, déçue. J'en avais très envie. Tant pis, je ne prendrai rien alors.

Quand Matthieu revint avec le plateau chargé de tasses fumantes, il avait un sourire victorieux.

— Chérie, ne me demande pas comment j'ai fait, mais j'ai retrouvé un sachet de thé aux fruits rouges. Voici ta tasse. Fais attention, elle est très chaude.

Stéphanie allait le remercier quand elle huma le parfum citronné qui émanait des autres mugs. Elle fit une moue que Matthieu ne connaissait que trop bien et reprit :

— En fait, leur thé au citron me tente bien finalement…

— OK, ne bouge pas, Stéph. Je vais t'en faire une tasse, proposa Matthieu, repartant en cuisine.

Quand il rejoignit ses invitées, il posa la tasse et une très grande galette sur la table, puis hurla en direction de la chambre du fond en s'asseyant enfin :

— Paul ? Jules ? Venez dire bonjour à mamie et Antoinette ! La galette est prête… Qui veut la plus grosse part ?

Les deux petits garçons déboulèrent aussitôt – déjà incapables de marcher calmement en temps normal, ils battaient tous les records quand il s'agissait de gâteau !

— Bonjour mamie ! Bonjour Antoinette ! lança Paul. On peut avoir de la galette, maintenant ?

— Une seconde, Paul, répondit son père. Jules, on a besoin de toi pour la distribution des parts. Tu dois aller sous la table et dire le nom de chaque personne, une par une. OK ?

— OK, fit Jules en rampant pour se faufiler sous la table basse.

— Alors, elle est pour qui, la première part ? demanda Matthieu.

— Pour Zules ! répondit le jeune garçon en sortant de sous la table pour saisir son assiette.

— Attends, il faut que tu dises les prénoms de tout le monde avant de pouvoir commencer à manger ta part. Et celle-ci, elle est pour qui ?

— Sais pas, moi… Zules !

Bien décidée à ne pas attendre que son arrière-petit-fils ait terminé de faire des siennes, Antoinette se servit une part après avoir vérifié que la fève s'y trouvait, sous l'œil ébahi de Stéphanie. Matthieu, qui connaissait bien sa grand-mère et savait que chaque année elle répétait : « C'est peut-être ma dernière galette, autant que je sois la reine ! », rassura aussitôt sa compagne, lui faisant signe qu'il avait anticipé le problème et mis trois fèves dans la galette.

— Et la dernière part pour mamie, donc. Qu'est-ce qu'on disait avant les galettes ? demanda Matthieu, reprenant leur conversation. Ah oui, les vacances au ski !

Stéphanie se figea aussitôt.

— Maman, on a bien réfléchi et, pour nous, ce n'est peut-être pas le moment idéal pour aller au ski, continua Matthieu prudemment.

— Mais pourquoi ? Je ne comprends pas, vous étiez si enthousiastes à Noël. Qu'est-ce qui a changé depuis ?

— J'ai la fève ! s'exclama fièrement Antoinette en sortant un objet de sa bouche.

Jules et Paul étaient consternés et à deux doigts de fondre en larmes, quand Stéphanie leur rappela :

— Mais cela ne veut pas dire qu'il n'y a pas une fève dans votre part… Faites très attention en mangeant : croquez des petits bouts !

— C'est pas vrai, à l'école ils ont dit qu'il y avait toujours une seule fève. C'est pas juste : c'est toujours Antoinette qui l'a, gémit Paul. Je suis sûre qu'elle triche !

— Heu Paul, on n'accuse pas comme ça, et puis, ce n'est pas vrai, dans les grandes galettes il y a deux fèves. Et parfois, dans les très grandes galettes, comme la nôtre, il peut même y en avoir trois ! assura Stéphanie en jetant un œil à son compagnon.

— Et donc, pourquoi vous ne voulez plus venir au ski ? relança Martine. Il s'est passé quelque chose dont je ne suis pas au courant ? Je vous vois échanger des petits regards, là. C'est à cause de moi ?

Le silence se fit, pas forcément rassurant pour Martine. Elle hasarda alors un :

— C'est à cause de Jacques ? Parce que si c'est ça, sachez qu'il ne viendra pas cette année. C'est sûr à cent pour cent : il va travailler.

D'un coup, la tension se relâcha et Stéphanie prit la parole :

— Ce n'est pas seulement à cause de Jacques, non. Je suis fatiguée, et je ne suis pas sûre d'avoir envie de skier, ni même de m'occuper des petits au chalet pendant une semaine. Je préférerais les laisser à ma mère, en Gironde.

— Oui, mais on peut y repenser, ajouta Matthieu. On n'est jamais motivés pour aller au ski mais, une fois qu'on y est, on est toujours ravis, non ? On te tient au courant, maman. Tu en penses quoi, Alexandre ?

— Moi, j'ai toujours été partant. C'était vous qui faisiez machine arrière. Il faut juste espérer qu'il nous reste assez de vacances à Laura et moi.

— En tout cas, moi j'y serai, conclut Antoinette, la bouche pleine. Et sinon, la bouteille de cidre ? On la boit cette année ou on attend la galette de l'année prochaine ? Nous n'allons pas tarder à rejoindre notre hôtel, n'est-ce pas Martine ? Ce n'est pas que je m'ennuie, mais je ne voudrais pas y aller trop tard. Sinon je risque de louper « Questions pour un champion »…

12

Il ne faut pas pousser mémé dans les orties

Quand Jacques avait vu sa femme revenir de son escapade parisienne le lundi, il avait à peine levé les yeux de son journal et demandé :

— Alors, c'était bien ? Quatre cents kilomètres pour une part de frangipane… Je suis bien content de m'être épargné ça ! avait-il conclu, énervant un peu plus encore son épouse.

Martine l'avait ignoré, puis lui avait rappelé les règles du jeu :

— C'est limite, Jacques. C'est limite ! Si j'étais toi, je ferais profil bas. Car je te confirme que c'est bien de ta faute si nous n'étions pas invités ce week-end, et c'est aussi à cause de toi que les enfants ne veulent plus aller au ski avec nous.

— Mais ils peuvent y aller ! Moi, de toute façon, ça me barbe le ski ! Tu leur as dit ?

— Tu ne vois pas que ce n'est pas ça, le problème ? Les vacances au ski, c'est l'arbre qui cache la forêt. Ils en sont à ne plus vouloir venir pour Pâques, ni aux vacances d'été, et encore moins pour Noël. Et je les comprends !

— Mais tu exagères toujours. Quand ils vont réaliser combien coûtent des vacances en location, ils reviendront frapper à notre porte.

Face à ce mur d'incompréhension, Martine n'avait qu'une envie : partir de chez elle en claquant la porte. Mais elle se rendait bien compte que son mari n'avait toujours pas saisi la gravité de la situation. Elle ajouta alors :

— Je vais te résumer les choses. Il semble que tu aies du mal à intégrer les informations, alors écoute-moi bien, je ne me répéterai pas. En février, les enfants vont au ski, sans toi. C'est réglé. Moi, je t'ai dit que j'avais envie de partir avec toi en amoureux et j'attends toujours que tu organises ne serait-ce qu'un week-end. Tu me suis ?

— Oui, mais je t'ai déjà dit qu'avec le travail…

— Chut ! Je continue. Donc ça, tu as compris. Ensuite, pour Pâques, je vais ramper et m'excuser platement pour nous deux s'il le faut, mais je vais me débrouiller pour que les enfants viennent passer quelques jours chez nous. Ce sera ta dernière chance de bien te comporter avec eux. Et ta dernière chance de me prouver que tu fais les efforts que je t'ai demandés au nouvel an.

— Ce sont tes belles-filles qui t'ont monté la tête ? demanda Jacques.

— Arrête de chercher des coupables. Elles n'ont rien à voir avec ça. Je te parle de *toi et moi*. J'ai l'impression de ne pas exister, d'être le centre de l'invisibilité avec toi. Tu ne vois même pas quand tu dépasses les bornes, quand tu dis des choses blessantes. Tout faire en fonction de toi, c'est fini, Jacques !

Il la regardait s'agiter, avec l'impression de visionner un vieux film muet de Chaplin. Dans sa bulle, il avait fermé les écoutilles et ne prêtait que peu d'attention à ce que sa femme essayait, dans un flot de paroles ininterrompu, de lui dire.

— Quand j'observe mes belles-filles, j'envie leur liberté. Moi aussi j'aimerais prendre un chien sur un coup de tête, pouvoir t'envoyer balader quand tu as faim, ou boire un verre de plus sans me faire reprendre parce que, peut-être, je vais dire des sottises. J'aimerais ne plus avoir à demander l'autorisation. Et surtout, avoir le droit de ne plus être parfaite.

— Arrête Martine, tu es ridicule. Tu caricatures, là !

— Moi, je veux profiter de ma retraite, et ce sera avec ou sans toi. On n'est pas obligés de finir notre vie ensemble, Jacques. Et je préfère savoir dès maintenant si je dois planifier les choses différemment, tant qu'il me reste assez de temps pour refaire ma vie.

— Ah, parce que c'est de cela qu'il s'agit ? Tu as quelqu'un d'autre ? Daniel ? Le collègue qui te tourne autour ?

— Écoute-moi, Jacques. Là, j'ai atteint ma limite. Et il faut que tu comprennes que ça ne peut pas continuer ainsi. J'ai besoin d'air. J'étouffe. J'en ai assez qu'on me dicte ce que je dois faire. D'abord papa et maman, puis toi. Ça suffit. À partir de maintenant, *je* décide ce qui *me* fait plaisir, à *moi*. Libre à toi de m'accompagner ou pas, cela ne changera pas ma décision. Tu sais comment me faire plaisir pour février. Si tu es trop stupide pour agir, je partirai sans toi. Et d'ici là, réfléchis bien à comment tu veux passer tes dernières années. Tu dépasses une seule fois encore les bornes, et je m'en vais. On ne pourra pas dire que je ne t'ai pas prévenu, Jacques !

Après que Martine eut quitté la pièce, Jacques essaya de se repasser les informations, mais seul un acouphène résonna à ses oreilles, un long bip synthétique tel celui émit par un électrocardiogramme lors d'un arrêt cardiaque.

13

Ça sent le sapin !

Jacques n'aurait jamais pensé que Martine mettrait ses menaces à exécution. Même quand il avait vu la grosse valise près de la porte d'entrée. De toute évidence, il avait loupé quelque chose. Elle avait dit avoir besoin de prendre le large pour faire le point mais, finalement, elle n'avait pas eu envie de partir seule et avait décidé de rejoindre ses fils au ski.

De toute façon, Jacques, le ski, ce n'était pas pour lui. Son genou finissait toujours par se bloquer. Donc si c'était pour faire des mots croisés, il était aussi bien dans son fauteuil, tranquille, tout seul, que dans le salon du chalet où on était les uns sur les autres.

Cependant, il sentait que la situation était en train de lui échapper, et quand Martine appela son taxi pour la gare, il espérait encore qu'elle le supplie de l'accompagner. Mais elle ne pipa mot et, quand le véhicule arriva, elle enfila son manteau sans lui jeter un regard. Ce fut à ce moment seulement qu'il céda, certain de lui faire plaisir :

— D'accord, tu gagnes. Donne-moi dix minutes, le temps que je fasse ma valise, et je viens avec toi.

Martine ne lui laissa pas le temps de bouger un orteil. Elle s'approcha de lui, planta ses yeux les plus noirs dans les siens et dit le plus calmement possible, le doigt pointé vers lui :

— Tu restes là. Ne t'avise surtout pas de débarquer par surprise au ski. Tu n'es pas le bienvenu. Un conseil : profite de ce moment pour réfléchir à ce dont je t'ai parlé.

Sur ce, Martine claqua la porte derrière elle, faisant trembler toutes les fenêtres et rambardes branlantes de la maison.

Jacques aurait bien rétorqué que le chalet était à lui et qu'il était donc libre de s'y inviter quand il le souhaitait, mais quelque chose l'avait retenu et il s'était tu. La raison, peut-être ? Tout de même, il était décidé : il l'appellerait le soir, pour savoir si elle était bien arrivée et vérifier si elle lui faisait toujours la tête ou non.

Elle voulait partir seule, il ne s'y était pas opposé. Si Martine était pleine de doutes, en quoi cela le concernait-il ? Et pourquoi se sentait-il coupable ? Elle avait même admis que, s'il ne l'écoutait plus, à sa décharge, cela faisait longtemps qu'elle ne s'écoutait plus elle-même non plus. Elle avait conclu avec une réflexion philosophique du genre : « Je ne saurais dire ce qui me manque, mais je me rends compte maintenant que l'important ce n'est pas d'avoir les bonnes réponses mais de se poser les bonnes questions. »

Et les garçons ne l'avaient pas aidé sur ce coup-là. « Maman a raison. Laisse-la prendre du recul. Et si elle finit par faire sa crise de la soixantaine et qu'elle veut un tatouage, conseille-lui plutôt de se faire refaire les seins ! »

Plongée dans l'obscurité d'une journée qui s'annonçait sans soleil, la maison était devenue très silencieuse. Jacques n'était pas d'humeur à écouter de la musique, pas même Michel Sardou. Il décida alors de faire ses mots croisés mais ne trouva aucun mot. C'est vrai que d'habitude c'était Martine qui l'aidait à débloquer la situation. Jacques reposa le journal et prit le roman policier qu'elle lui avait conseillé quelques semaines plus tôt. La lecture de la quatrième de couverture le découragea.

— Ç'a l'air chiant à mourir ! lâcha-t-il.

Jacques tourna en rond de longues heures. Il pleuvait. Pas le temps idéal pour arpenter les plages armé de son détecteur de métal à la recherche d'un trésor perdu, sa passion depuis des années.

Dans la cuisine, il ne trouva rien de très appétissant. Le frigo ne contenait que des restes. Martine ne lui avait même pas fait les courses pour la semaine. Il retourna s'asseoir le ventre creux. Et s'il l'appelait maintenant ? Elle devait être arrivée à cette heure.

Avant de composer le numéro, il décida d'allumer la radio. Cela lui ferait un fond sonore. Sinon, elle pourrait croire qu'il déprimait sans elle.

Tout à coup lui vint l'idée du siècle : mais oui, Antoinette ! Il allait proposer à sa mère de venir passer quelques jours chez lui ! Elle se sentirait moins seule, comme ça.

La vieille dame répondit aussitôt :

— Oui, j'écoute ?

— Allô maman, c'est Jacques.

— Je t'entends très mal. On est au restaurant avec les petits. Tu veux que je te passe Martine ?

— Euh… oui, mais tu es où, maman ?

Jacques n'avait pas du tout prévu de parler à sa femme. Il sentit son cœur s'accélérer et ses mains devenir moites. C'était ridicule, pourquoi ce stress ? Instinctivement, il augmenta le son de la radio.

— Allô ?… Mais, c'est qui, Antoinette… ? demanda la voix familière de Martine.

— Martine ? C'est Jacques. Tu es bien arrivée au chalet ?

— Jacques ? Je ne t'entends pas bien du tout. La musique est très forte dans notre restaurant. Tout va bien ? Tu ne te sens pas trop seul ?

— Non, ne t'inquiète pas. Les gars m'ont appelé. Ils avaient besoin de moi sur le chantier de la médiathèque. Là on déjeune en coup de vent. D'ailleurs, ils me font signe : il faut que j'y retourne. Bon, je suis content que ton voyage se soit bien passé. On s'appelle ce soir ?

— Oui, on essaie. Bonne journée et ne t'acharne pas au travail. Repose-toi, tu en as besoin.

Jacques raccrocha, et même s'il eut l'impression que Martine ne lui en voulait plus, il ne put s'empêcher de lâcher « Mais quel crétin je fais » en s'observant dans le miroir, plus seul que jamais, avec la radio qui hurlait derrière lui.

14

Quand le chat n'est pas là, les souris dansent !

Jacques était planté à côté de son téléphone. *Elle exagère quand même, il est presque 22 heures.* S'il avait dû travailler le lendemain, il serait déjà au lit. N'y tenant plus, il téléphona à sa femme.

— Bah, tu ne m'appelles pas ? Tu as vu l'heure ? attaqua-t-il.

— Bonsoir Jacques. On vient à peine de rentrer, expliqua Martine.

— À cette heure-ci ? Eh bien ! Quand le chat n'est pas là…

— Je te passe Stéphanie. Elle a quelque chose à te dire… Stéphanie, c'est Jacques !

— Allô, Jacques ? Vous allez bien ? Vous ne vous sentez pas trop seul ? demanda la jeune femme.

— Tu voulais me dire quelque chose ? coupa Jacques.

— Oui, avec Matthieu, on voulait vous annoncer une bonne nouvelle. Je suis enceinte !

— Ah, ça… dit Jacques d'une voix déçue. Ah oui ! C'est une super nouvelle, félicitations. Donc vous allez changer de voiture ?

— Euh, on n'y a pas encore réfléchi. Elle est très bien, notre voiture.

— Moi je suis toujours intéressé pour vous racheter votre voiture ! hurla Nicolas dans le fond.

— Vous voulez que je vous passe vos petits-enfants ? demanda Stéphanie.

— Ils ne sont pas encore couchés à cette heure-là ? Pas étonnant qu'ils soient pénibles la journée si on les fait veiller tard le soir ! Moi, à mon époque…

— Jacques, je vous arrête tout de suite : c'est exceptionnel. On fête l'anniversaire de Jeanne.

— Jeanne est là, finalement ? Souhaite-lui un bon anniversaire de ma part, veux-tu ?

— Attendez, je vous mets sur haut-parleur. Voilà, c'est bon !

— Salut, les jeunes. Alors, il y a qui de votre côté ?

— Bah, tout le monde, sauf vous ! Il manque aussi Laura et Alexandre, ils n'ont pas pu se libérer.

— Ah ça, ce n'est pas faute de les avoir prévenus… Prendre des animaux, c'est une connerie, après on est bloqués pendant les vacances !

— Non, je crois tout simplement qu'ils n'avaient plus assez de jours de congé. Et vous alors, comment se passe le travail ? demanda Jeanne.

— Bonjour Jeanne, bon anniversaire ! Tout va bien de mon côté. Et toi alors, ton premier jour de ski en famille : tu arrives à suivre le rythme ?

— Je ne skie pas, donc ça va super. Je suis restée au chalet avec Antoinette.

— Quelle idée ! Aller au ski pour ne pas skier…

— Si j'ai bien compris c'est ce que vous faites chaque année… Et vous avez regardé le match ce soir ? Même à dix contre onze, il semblerait que Marseille soit indubitablement meilleure que Rennes…

Étonnamment, quand Jeanne parlait de football, elle s'emballait et son accent marseillais reprenait le dessus.

— Enfin, match nul : il n'y a pas de quoi fanfaronner !

— Alors papa, tu es content de la bonne nouvelle ? relança Matthieu en arrière-plan.

— Quelle nouvelle ? Ah oui… la grossesse. Très content, je l'ai déjà dit à Stéphanie d'ailleurs. Vous allez pouvoir former une équipe de foot maintenant ! Et Stéphanie, tu vas arrêter de travailler ?

— Je ne suis pas sûre d'avoir bien compris, Jacques. Ça coupe par moment. Oui, je vais prendre mon congé maternité et ensuite je reprendrai mon travail à l'assurance.

— Mais pourquoi ?

— Jacques, c'est Martine, Stéphanie fait ce qu'elle veut, ça ne te regarde pas ! D'ailleurs, à propos de Stéphanie, tu as fait venir les ouvriers pour les rambardes ?

— Ah oui, les rambardes ! Leur planning était complet cette semaine, mais je les relance avant les vacances de Pâques. Attends, je ne comprends pas, Stéphanie, tu comptes vraiment retravailler après ton troisième enfant ? Ton mari gagne pourtant assez…

— Bonne nuit, Jacques ! conclut Antoinette, qui s'était emparée du téléphone de Martine. Qu'est-ce qu'il est désagréable, parfois, celui-là…

À l'autre bout du fil, Jacques resta pantois, tentant de se persuader que la communication avait été malencontreusement interrompue. Pour autant, il jugea que la discussion ne valait pas la peine de rappeler.

15

Rentrer dans le moule

De la fenêtre de sa chambre, Jeanne observait l'horizon. Devant elle, la montagne se dessinait à travers la brume. Depuis le chalet, on avait une vue plongeante sur la vallée. Le temps semblait s'être arrêté sur ce paysage si tranquille. Malgré l'humeur légère de toute la famille lors de son anniversaire la veille, Jeanne avait mal dormi. Elle avait fait bonne figure, mais les accrochages réguliers avec Nicolas la minaient de plus en plus. Elle était assaillie de doutes et réalisait qu'elle ne pourrait pas continuer ainsi longtemps.

La jeune femme faisait de son mieux avec son compagnon, mais également avec sa belle-famille, pour les séduire. Rentrer dans le moule, ne pas faire de vagues. Elle tenait à se montrer sous son meilleur jour et faisait des efforts avec tout le monde. Ses beaux-frères, ses belles-sœurs, sa belle-mère et Antoinette. Avec tous, elle contrôlait ce qu'elle disait. Sauf avec les infatigables bouts de chou, avec qui elle retombait avec plaisir en enfance, sans avoir à jouer un rôle.

Mais elle ne pouvait s'empêcher de douter de tout. Jeanne, qui avait tendance à manquer de confiance en elle, imaginait parfois le pire. Sa belle-mère, Martine, pensait-t-elle que son fils aurait pu trouver mieux ? Se pourrait-il qu'elle regrette une des ex-petites amies de Nicolas ?

Jeanne doutait également de son compagnon. Pourquoi Nicolas ne la soutenait-il pas plus ? Pourquoi la critiquait-il autant, pourquoi la reprenait-il chaque fois qu'elle faisait, selon lui, une bourde ? Pourquoi lui lançait-il des regards noirs dès qu'elle commençait à se sentir à l'aise et à plaisanter ? Pourquoi la repoussait-il quand elle voulait le prendre dans ses bras, ou simplement lui tenir la main ? Pourquoi lui demandait-il d'atténuer son accent ? Il faisait partie d'elle. Il lui demandait de s'améliorer, d'être quelqu'un d'autre, alors qu'à elle il ne lui serait jamais venu à l'idée de lui demander de changer. Même pour la cigarette, c'était lui qui l'avait pervertie, alors qu'elle avait arrêté de fumer depuis deux ans. Ce que Nicolas semblait oublier chaque fois qu'il lui reprochait, devant sa belle-famille, de trop fumer…

Jeanne trouvait pesant d'avoir constamment quelqu'un sur le dos, qui lui disait « fais comme ceci, pas comme cela ». Elle avait parfois l'impression que c'était du harcèlement moral. Elle n'avait pas besoin d'un père, et encore moins d'un compagnon pervers narcissique.

Jeanne ne comprenait plus rien. Bientôt, Nicolas lui demanderait de lire le Goncourt. Et elle devrait s'exécuter pour faire plaisir à tout le monde. *Ah non ! Tout sauf ça !*

Ils étaient pourtant encore un jeune couple. Ils ne devraient pas avoir à faire tant d'efforts. Il n'y avait même pas de morceaux à recoller dans leur histoire qui commençait à peine. Pourquoi s'accrochaient-ils quand, de toute évidence, cela ne marchait pas ?

Tout comme Nicolas, Jeanne savait qu'elle n'avait pas un caractère facile. Vivant seule avec sa mère, elle avait appris à se comporter en adulte dès son plus jeune âge, à tenir tête même aux anciens, quand elle savait qu'elle avait raison. Forte, indépendante, cette véritable tornade rousse était devenue, en grandissant, un véritable garçon manqué. Avec l'adolescence, son caractère ne s'était pas arrangé, et cette grande gueule féministe s'autorisait à dire tout ce qu'elle pensait, comme elle le pensait, c'est pourquoi certains la qualifiaient de madame Sans-Gêne ou de mademoiselle Effrontée. Mais Jeanne ne savait pas faire autrement et, jusqu'à présent, elle s'en était moquée. Cependant, cela lui avait déjà coûté deux relations amoureuses sérieuses et, à trente ans passés, elle se rendait compte de l'importance de mettre de l'eau dans son vin. Avec Nicolas et sa belle-famille, elle avait surtout besoin d'air.

16

Pièces rapportées

Après une longue douche brûlante pour chasser ses mauvais démons, Jeanne s'habilla chaudement, enfila un bonnet duquel dépassait ses beaux cheveux roux et rejoignit Antoinette au salon.

— Antoinette, ça vous tenterait de faire une petite balade avec moi ? Ensuite on irait boire un chocolat chaud en bas des pistes.

— Merveilleuse idée ! Je passe aux lieux d'aisance et nous pourrons nous mettre en route.

Bras dessus, bras dessous, Jeanne et Antoinette s'engagèrent sur le chemin déneigé. La vieille dame semblait aussi légère que ses arrière-petits-enfants.

— Alors, dites-moi, Jeanne. Qu'est-ce que cela fait d'atterrir dans une famille de fous ?

— Chacun a son petit caractère, mais vous êtes loin d'être une famille de fous. Ça va, cela se passe bien, enfin je présume. Être une pièce rapportée, comme on dit, n'est jamais évident. Je me débrouille comment, selon vous ?

— Je vous ai observée et je pense que vous vous en sortez comme un chef ! Il est compliqué, notre Nicolas, sans parler de Jacques et ses sautes d'humeur. Mais, si je peux vous donner un conseil pour mieux vous intégrer, sortez vite de cette phase dans laquelle vous vous trouvez, celle où vous oscillez entre doute et séduction. Passez directement à la phase trois.

— De quelles phases parlez-vous ? Et qu'est-ce que c'est, la phase trois ?

— Asseyons-nous un instant, et je vous raconte tout. Vous savez, il y a plusieurs millénaires, je suis passée par là aussi ! répondit Antoinette en riant.

Au bas des pistes, au soleil, les deux femmes prirent place sur un banc en pierre. Côte à côte, elles observaient les skieurs débutants qui tentaient d'apprivoiser le tire-fesses.

— Comme vous le dites si justement, être une pièce rapportée exige de trouver un certain équilibre. Un équilibre intérieur, mais également avec Nicolas et les autres membres de la famille. Avant de vous détailler les quatre phases, laissez-moi partager une métaphore que l'on m'a racontée il y a fort longtemps. Vous voulez un

Mon chéri ? proposa Antoinette en sortant une poignée des petits chocolats rouges de sa poche.

— Euh, non merci, déclina Jeanne, qui comprenait mieux pourquoi la boîte achetée la veille était déjà presque vide.

— Reprenons. Quand on se met en couple, chacun vient avec un sac à dos plein de pierres. Les pierres représentent notre passé et conditionnent qui nous sommes aujourd'hui. Pour certains, le sac à dos est plus lourd à porter que pour d'autres. Nous n'avons pas tous vécu les mêmes choses, ni eu la même relation avec notre père, notre mère, nos frères et sœurs.

Les papiers de chocolat s'amassaient sur les genoux de la vieille dame, qui en ouvrit un nouveau et l'avala d'un coup, avant de reprendre :

— Pour Nicolas par exemple, son sac à dos sera peut-être rempli d'expériences amoureuses ratées alors qu'il semble si facile pour un couple de durer, si l'on se réfère au modèle de Jacques et Martine. Mais il se peut que, pour lui, le couple que forment ses parents soit tout sauf un exemple à suivre.

Jeanne fronça les sourcils. Elle se demandait combien de pierres – et d'ex – se trouvaient dans le sac à dos de Nicolas.

— Vous, Jeanne, m'avez dit que vous n'aviez jamais connu votre père. Le fait de ne pas avoir eu d'exemple de couple uni sur la durée peut représenter une difficulté supplémentaire pour créer votre propre modèle. Mais ce qu'il y a de beau en amour, c'est qu'il y a autant de couples que de façons de s'aimer.

— C'est très juste, cette histoire de sac à dos. Et, pour reprendre votre métaphore, je trouve mes pierres parfois très lourdes. Et je n'avais pas conscience que Nicolas avait aussi les siennes à porter. Je devrais être plus patiente avec lui.

— Alors, ce n'est pas *du tout* ce que je viens de vous dire ! rouspéta Antoinette. Écoutez mieux, Jeanne ! Nicolas, il faut nous le secouer ! Oui, il a ses pierres, mais il les a mises de côté, et elles finissent par se mettre entre vous deux. En plus, l'intégration dans *votre* famille semble assez facile pour lui, à partir du moment où il se comporte en gentleman avec votre mère. Sortez de la phase un, Jeanne. Sortez-en vite !

— Mais qu'est-ce que c'est que cette histoire de phases, alors ?

— Ah oui, je ne vous ai pas expliqué… Il y a quatre phases dans le processus d'intégration.

Antoinette fit une pause, réfléchit un instant, et goba un autre chocolat avant de poursuivre :

— Phase un : la *séduction* de la belle-famille, systématiquement accompagnée de remises en question personnelles très fortes. Un peu comme un chiot au chenil qui veut être choisi et fait la moue la plus attendrissante possible. Mais intérieurement, il tremble. Il vient avec son passé, sa gueule cassée et il est plein d'espérances quant à sa nouvelle famille d'accueil. Mais il n'a qu'une peur : décevoir et être abandonné à nouveau.

Phase deux : l'*intégration*, pure et simple, des règles de la famille. On fait des efforts pour rentrer dans le moule, on prend sur soi, on marche au pas.

Phase trois : ma préférée, la *rébellion* ! Ça passe ou ça casse, mais au moins on est fixé. Notre vraie nature ressurgit enfin. On ne peut plus faire semblant. La phase trois n'est pas supposée être un but. Pourtant, si je peux me permettre, je pense que Stéphanie, après plus de dix ans en couple avec Matthieu, est encore coincée dans cette phase. Laura, je n'en parle même pas. Je vous recommanderais de passer directement de la phase de *séduction* à la *rébellion*. Ainsi, vous serez plus à même de vous installer après en phase quatre.

— Et cette phase quatre, c'est la rupture alors ?

— Non, la phase quatre, c'est le compromis. On s'accepte tels que l'on est, avec nos qualités et nos défauts, avec nos humeurs, nos fragilités. Et surtout avec nos différences de culture ou de génération. Il n'y a plus d'agressivité, même pas sous-jacente, puisqu'elle est déjà sortie en phase trois. Alors, on va le boire ce chocolat chaud, j'ai soif moi !

Jeanne aida la vieille dame à se relever du banc et elles se dirigèrent silencieusement vers le salon de thé.

— Vous êtes bien pensive, Jeanne. Je vous ai fait peur avec mon charabia de vieille dame ? Dites-le-moi si vous pensez que mon histoire de phases n'a aucun sens.

— Ce n'est pas ça. Toutes vos explications me semblent pertinentes mais…

— Mais vous vous demandez comment secouer concrètement le cocotier de Nicolas sans risquer de le perdre ? La phase trois est toujours risquée en début de relation, je ne vous le cache pas. Nicolas peut vous prendre pour une casse-bonbons.

Jeanne planta ses yeux dans ceux de la vieille dame. Elle espérait y trouver une solution.

— Mais Jeanne, la vraie question est combien de temps pensez-vous, *vous*, être capable de faire tous ces efforts sans exploser ? La phase quatre est sympa. Je vous raconterai un jour comment cela s'est passé avec ma belle-mère, une vraie peau de vache, comme celle de Cendrillon. Et puis, je pourrai aussi vous raconter comment on en est arrivées à notre relation apaisée avec

Martine. Et si vous le souhaitez, Jeanne, je peux même vous aider avec le cocotier de Nicolas. L'expérience a parfois du bon pour ne pas se prendre toutes les noix de coco en même temps sur la tête… Un Mon chéri ?

17

Pour le meilleur et pour le pire

Après avoir dîné et joué une bonne partie de la soirée avec les petits, Martine se détendait sur le balcon du chalet. Il faisait frais mais, avec une bonne doudoune, la vue valait vraiment quelques frissons. De l'intérieur, hésitante, Jeanne observait sa belle-mère.

Avant de tout mettre à plat avec Nicolas, Jeanne voulait découvrir deux ou trois choses auprès de Martine : qui était vraiment Nicolas, comment était Jacques plus jeune, et surtout, comment s'étaient passés ses débuts à elle, avec sa belle-mère Antoinette.

Elle finit par se décider, alla s'asseoir à côté de Martine et sortit une cigarette du paquet qui se trouvait sur la table :

— Cela vous dérange si je fume ?

— Absolument pas ! C'est Jacques, l'ayatollah du tabac. Moi, si je pouvais, je fumerais une petite cigarette de temps en temps, comme vous, les jeunes.

— Donc, aux yeux de Jacques, si je vous en propose une, c'en est fini de moi ? plaisanta Jeanne tandis que Martine prenait une cigarette dans le paquet. Ça fait combien de temps que Jacques et vous êtes ensemble ?

— J'ai presque envie de te répondre depuis toujours ! En tout cas, je ne me souviens pas de ma vie avant lui. On s'est mariés j'avais vingt-trois ans, tu vois, ça ne me rajeunit pas !

— Comment ça s'est passé pour vous, à l'époque, l'intégration dans sa famille, avec Antoinette ?

— J'ai eu de la chance. Elle n'a pas été la marâtre qu'elle-même avait eue. Une vraie vipère, la grand-mère de Jacques. Hortense…

— Ah oui ?

— Hortense était très froide. Un exemple qui m'a marquée : elle n'adressait pas la parole à sa belle-fille en public, elle passait par son fils. C'était peut-être dû à l'époque, mais quand même !

— Oui, quand même…

— Ce n'est pas tout, reprit Martine. Elle était maladivement maniaque et attendait le même fanatisme de la part de sa belle-fille. Ce n'était pas le cas d'Antoinette, qui du coup se voyait qualifiée de souillon incapable de tenir son foyer, ce qui pour Hortense revenait à manquer de respect à son mari. À chaque visite, c'était l'inspection générale, et immanquablement Antoinette essuyait des piques et des remontrances. Quant au grand-père de Jacques, c'était une vraie tombe. Il ne parlait jamais. Antoinette m'a raconté que, lors des dîners, elle pouvait réellement entendre les mouches voler. Ce n'est pas chez nous que cela arriverait ! plaisanta Martine en tirant une bouffée de cigarette.

Elle recracha la fumée avant de reprendre :

— Et accroche-toi bien, la seule fois où son beau-père lui a adressé la parole, ç'a été pour lui dire : « Une femme silencieuse est un don de Dieu ! » Ça ne s'invente pas ce genre de chose. Moi, j'ai eu énormément de chance avec Antoinette.

Jeanne réalisa alors que ne pas s'entendre avec sa belle-mère pouvait vraiment empoisonner un couple. Même si ses relations n'étaient pas idylliques avec Nicolas, au moins, Martine ne se comportait pas en marâtre avec elle.

Cette dernière continuait de raconter à quel point la belle-mère d'Antoinette était insupportable.

— D'ailleurs, Antoinette m'a déjà dit qu'avec son mari ils auraient eu plus d'un enfant si sa belle-mère les avait laissés en paix ! Ses beaux-parents téléphonaient des dizaines de fois par jour, soi-disant pour avoir des nouvelles, mais c'était pour pouvoir s'inviter chez eux. Et quand ils restaient, ce n'était pas que quelques jours, eux, mais des semaines ! Alors que moi, quand je passe un après-midi chez Stéphanie, sa première question, c'est : « Quand est-ce que vous repartez, déjà ? », poursuivit Martine en éclatant de rire. Et puis, les beaux-parents, il fallait les servir comme des pachas, ils critiquaient tout, tout le temps à se plaindre qu'ils s'ennuyaient, qu'ils n'aimaient pas la ville. S'ils achetaient le pain, ils l'inscrivaient comme dette dans son cahier de comptes. La pauvre Antoinette ! On ne choisit pas sa famille, mais on ne choisit pas non plus sa belle-famille. Juste son amoureux…

La belle-mère de Jeanne avait terminé sa cigarette depuis longtemps. Elle jeta le mégot dans la boîte de conserve qui faisait office de cendrier et se retourna.

— Où est Nicolas, d'ailleurs ? demanda-t-elle en scrutant l'intérieur de la maison. Je voulais t'offrir ton cadeau d'anniversaire, avec un peu de retard. Mais nous n'avons pas besoin de lui ! Attends-moi, je reviens.

Jeanne vit Martine revenir avec un petit paquet rectangulaire.

— C'est une petite bêtise. Je me suis dit : « Un sautoir, c'est joli, mais peut-être que Jeanne aura besoin d'occupation cette semaine. » Puisque tu ne skies pas. J'espère que tu ne l'as pas déjà…

Jeanne sentit son rythme cardiaque s'accélérer et pria intérieurement pour ne pas découvrir ce qu'elle redoutait le plus : un livre. Elle savait parfaitement comment occuper ses vacances à la montagne sans devoir lire. Quand elle eut déballé le cadeau, elle se demanda si la déception pouvait se lire sur son visage :

— Oh, le Goncourt ! Euh, non, je ne l'ai pas encore lu, celui-là. Merci Martine. *Vraiment*, il ne fallait pas !

18

Trouver chaussure à son pied

Dans le TVG du retour, la tête appuyée contre la fenêtre, Martine regardait défiler le paysage gelé. Ces quelques jours passés en famille, sans Jacques, l'avaient transformée. Désormais elle redoutait presque de retourner auprès de son mari.

Pour la première fois, elle s'était autorisée à ne rien planifier, à ne pas être responsable du groupe. Même à faire la fofolle. Elle s'était laissée porter par ses envies du moment et avait pro-fi-té. Tout simplement.

Être presque exclusivement entre filles lui avait aussi ouvert de nouvelles perspectives. Personne pour râler, pour pointer du doigt la pendule en faisant remarquer qu'il était presque midi. Au contraire : elle avait vu Nicolas aux fourneaux pendant que Jeanne sirotait un vin chaud, et

Matthieu donner le bain aux petits pendant que Stéphanie lisait le journal. Martine ne s'était même pas précipitée pour faire les courses ou aller chercher les croissants, préférant rester aux côtés d'Antoinette à papoter tandis que les jeunes s'activaient.

Pendant ces quelques jours, l'atmosphère s'était détendue. Si Martine craignait au départ de ne pas être la bienvenue, très vite elle s'était rendu compte que tous étaient ravis de l'avoir auprès d'eux, pour mieux en profiter sans Jacques.

Ses fils ne l'avaient pas vue rire autant depuis des années et n'auraient pu penser qu'elle était capable de tricher au Uno. Ses belles-filles s'étaient laissées aller à quelques confidences et même Stéphanie, d'habitude si distante, lui avait demandé conseil concernant les manuels de lecture à privilégier pour Paul.

Martine, elle-même, s'était redécouverte. Elle avait adoré arpenter les pistes rouges avec les plus aguerris. Elle avait profité librement de la cigarette que Jeanne lui avait proposée et s'était même laissée tenter par un petit coup de gnôle sur les pistes. Rien de très sérieux, mais elle ne se le serait jamais autorisé avec son époux.

Tout cela la rendait nostalgique. Pourquoi s'empêchait-elle de suivre ses envies ? Était-ce vraiment son mari qui lui dictait inconsciemment ses faits et gestes, ou elle qui s'imposait de jouer l'épouse parfaite ?

Martine tournait et retournait ces questions dans sa tête depuis des heures, quand soudain elle remarqua que le jeune homme assis en face d'elle dans le train la dévisageait. Elle sortit alors discrètement son miroir de poche de son sac, mais elle n'avait pas de trace de sandwich au thon sur la joue ni de bout de salade coincé entre les dents.

Gênée par le regard appuyé de ce compagnon de voyage, elle sortit un magazine et tenta de cacher son visage qui s'empourprait. Quelques coups d'œil jetés au-dessus de l'article sur l'ostéoporose, et elle rougit de plus belle. Le jeune homme était tout à fait charmant. Et il continuait de la fixer. Si ses belles-filles ne lui avaient pas parlé de « cougar » et de « milf » quelques jours plus tôt, elle n'aurait même pas prêté attention à ce trentenaire.

Elle réfléchit de longues minutes à la meilleure manière de passer les deux prochaines heures sans engager la discussion, sans paraître grossière, ni en donnant de faux espoirs. Mais elle se faisait certainement des films. Elle se décida à aller aux toilettes puis, plutôt que de retourner s'asseoir en face du jeune homme, fila au wagon-bar, et découvrit avec surprise qu'il s'y trouvait aussi.

Martine se sentit encore plus mal à l'aise qu'auparavant. Il allait penser que c'était elle qui le suivait ! Ce fut lui qui brisa finalement la glace :

— Je vois que nous avions tous les deux besoin d'un café. Puis-je vous l'offrir ?

Plus embarrassée que jamais, la jeune grand-mère joua nerveusement avec son alliance, avant de répondre :

— Euh, je ne bois pas de café…

— Un thé, alors ?

Elle ne sut comment décliner une seconde fois, et s'assit alors sur le tabouret à côté du jeune homme.

Il s'appelait Rémy, était enseignant en biologie et passionné par les natures mortes. Il avait une petite amie dans les Alpes et allait rendre visite à ses parents en Bretagne. En plus d'être bel homme, il était très drôle.

Contre toute attente, les deux heures de trajet qui restaient filèrent.

Alors qu'ils regagnaient leur place dans le compartiment, Martine se sentit stupide d'avoir imaginé qu'un garçon aussi jeune et charmant puisse la courtiser. Elle allait presque confesser sa méprise lorsque le train entra en gare de Rennes, où elle devait descendre pour son changement. Elle récupéra sa valise et salua Rémy, quand celui-ci lui prit la main.

— Martine, attendez. Je vous ai menti. Je n'ai pas de petite amie dans les Alpes, ni de parents en Bretagne. J'y habite. Je ne voulais pas vous effrayer, alors j'ai tout inventé. Pardonnez-moi. Le reste est vrai. Si vous avez envie que l'on se revoie pour une exposition ou autre chose, je vous laisse mon numéro. J'ai adoré ce moment passé avec vous, j'ai même prié pour qu'il ne s'arrête jamais !

Martine rougit comme une adolescente, bafouilla et descendit du train en trombe alors que le signal sonore retentissait.

Quelle tristesse ! pensa-t-elle. Qu'est-ce qu'un beau garçon comme lui pouvait bien attendre d'une sexagénaire comme elle. *Je pourrais être sa mère...*

Le train redémarrait, emportant le charmant Rémy, quand elle se souvint qu'elle tenait le bout de papier sur lequel il avait écrit son numéro de portable. Elle se dirigea vers une poubelle mais se figea. Ce petit bout de papier était la preuve qu'elle était encore désirable. Ce dont elle n'était plus certaine depuis longtemps déjà. Cela ne pouvait pas faire de mal à son ego de le garder au fond de la poche de son imperméable, tel un souvenir qu'elle pourrait caresser chaque fois qu'elle douterait à nouveau.

Le TER arriva à l'heure à Dinan. Et, comme elle s'y attendait, Jacques n'était pas sur le quai.

Dans le taxi, elle prit une décision : il fallait qu'elle change les choses. Il le fallait pour elle, pour réussir à se reconstruire. Elle allait désormais suivre ses envies, être plus libre et, surtout, ne plus dépendre de Jacques.

19

C'est dans les vieux pots que l'on fait les meilleures confitures

Si traditionnellement Jacques adorait Pâques, surtout pour les chocolats, cette année il avait un pressentiment. L'impression que ça n'allait pas se passer comme sur des roulettes, malgré les promesses faites à Martine.

Et en effet, cela commençait mal. Les entrepreneurs, qui auraient dû passer la semaine précédente pour fixer les rambardes, avaient annulé. Débordés. D'autres priorités. Et Jacques était prêt à parier que ce serait la première chose que Stéphanie remarquerait à sa prochaine visite.

Ensuite, la météo annoncée était catastrophique, record de froid et pluie sans discontinuer. Ce qui n'aurait pas été si grave si Laura n'avait pas prévu d'amener son chien. Pour prévenir ses allergies, Jacques était passé à la pharmacie acheter un stock de Zyrtec et avait fait le plein de mouchoirs.

La seule note positive était Martine. Depuis son retour des vacances de février, elle ne lui adressait quasiment plus la parole, mais elle peignait à nouveau et allait voir des expositions toute seule, sans chercher à lui imposer cette torture. Si elle ne dînait presque plus à la maison – et ne pensait d'ailleurs pas non plus à remplir le frigo –, au moins elle ne lui faisait plus aucun reproche. Et il n'y avait plus de dispute.

Cependant, il restait aux aguets, surtout concernant le collègue de Martine, Daniel. Avec son air de ne pas y toucher, il ne lui plaisait pas du tout. Alors Jacques rôdait : il faisait régulièrement des visites surprises à la librairie, avec des fleurs parfois, avec un café, ou pour inviter Martine à déjeuner. Daniel allait voir de quel bois il se chauffait !

Tout cela, pourtant, passait bien au-dessus de la tête de sa femme. Les efforts de Jacques étaient notables, mais c'était elle qui était en pleine révolution. Elle s'imposait chaque jour de découvrir quelque chose de nouveau. Pour la première fois de sa vie, elle s'était fait chouchouter dans un institut de beauté, s'autorisant une pédicure – difficile à apprécier, chaque effleurement déclenchant un fou rire. Elle avait aussi suivi un cours de cuisine pour apprendre à préparer des sushis.

Elle avait fait un grand ménage de prin
dans ses armoires – elle avait donné trois gros sacs à Laura pour qu'elle les apporte à Emmaüs. Cerise sur le gâteau, elle avait pris rendez-vous avec un tatoueur. Elle en rêvait depuis toujours, elle allait enfin avoir son petit tatouage discret sur le haut du pied. Pour la première fois, elle se passerait de demander l'autorisation à son mari, et se garderait le plus longtemps possible de lui montrer. Son petit secret à elle. Pour elle. Deux mots, simples, *carpe diem*, pour se souvenir de vivre pleinement et de profiter de ses proches chaque jour. Tout le reste était devenu futile.

Il y avait tout de même une chose sur laquelle Martine restait intransigeante : le comportement irréprochable de Jacques avec ses belles-filles à Pâques. Il avait à nouveau été briefé, et la sanction avait été explicitée : Jacques ne serait pas le bienvenu dans sa propre maison cet été s'il posait le moindre souci. Le patriarche avait la pression…

20

Casse-bonbons

Les vacances de Pâques étaient enfin là. Martine ne tenait pas en place et, quand elle entendit le bruit d'une voiture qui ralentissait, elle s'empressa d'enfiler son ciré pour aller accueillir ses enfants. Jacques se montrait moins enthousiaste. Il aiderait à décharger « quand la pluie torrentielle se serait calmée »… En plus, il était certain que les premiers arrivés seraient Stéphanie, Matthieu et toute leur smala, alors il profitait de ses derniers instants de calme, au fond de son fauteuil.

— Bonjour Jacques !

— Ah… Stéphanie ! Déjà là ? Vous avez fait vite… Waouh, ton ventre est énorme ! Je croyais que c'était pour début septembre ?

— Oui fin août, début septembre, c'est que Paul et Jules ont déjà fait de la place, là-dedans. Ce voyage m'a épuisée…

— Assieds-toi. Tu veux boire quelque chose ? proposa Jacques, assez fier de ses efforts.

— Oui, c'est gentil, je veux bien un sirop de pamplemousse, dit Stéphanie en se laissant tomber dans le fauteuil de Jacques.

Alors que son beau-père s'affairait en cuisine, ne trouvant que des jus d'orange et d'ananas, elle lui cria :

— Il ne fait pas un peu froid ici ? On allume un feu ?

— Je n'entends pas. Je reviens tout de suite avec ton verre. Un feu, en avril, grommela Jacques entre ses dents. On aura tout vu !

Il chercha partout la cachette de Martine pour les sirops et finit par mettre la main sur un fond de Teisseire au pamplemousse. Ni vu, ni connu, il le coupa au Schweppes Agrum'. Quelques bulles ne pourraient pas lui faire de mal.

— Le sirop de Madame !... Stéphanie ? Où es-tu ? demanda Jacques revenu au salon.

— Salut papa, dit Matthieu. Ça te dérangerait de venir nous aider à décharger, plutôt que de rester au chaud ? Enfin... au chaud... il fait un froid de canard ici ! Il te reste des bûches sèches ?

— Les rambardes n'ont pas encore été réparées ? Jacques ?... questionna Stéphanie du premier étage.

Et m… !

— Les entrepreneurs sont passés mais ils n'avaient pas le matériel adapté. Ils ont tout commandé et doivent revenir cette semaine. Sauf si tu préfères qu'ils viennent après les vacances : cela risque de faire du bruit. Comme tu veux, Stéphanie.

— J'aurais surtout préféré que ce soit fait ! Mais qu'ils viennent cette semaine, tant que ce n'est pas pendant la sieste des petits…

— Papa ? Tu attends qu'on ait fini de tout porter pour nous aider, ou quoi ? râla Matthieu, qui en était à son troisième aller-retour.

— Minute papillon, j'arrive ! Je cherche mes bottes. Dis donc, tu as maigri toi ? Elle ne te nourrit pas ta femme ? Heureusement que ta mère a fait des courses pour quarante. D'ailleurs, j'ai faim, moi ! On passe à table bientôt, Martine ?

21

Reprends des carottes, ça rend aimable

Ils étaient tous arrivés. Nicolas et Jeanne en même temps qu'Alexandre et Laura. Cela en faisait du monde. La longue table de cuisine était dressée pour dix. Les deux jeunes garçons étaient déjà assis et engloutissaient les pâtes à la bolognaise de leur grand-mère. Posté à un angle, le jack russel de Laura guettait la moindre opportunité de grappiller un peu de nourriture.

— À table tout le monde ! cria Martine. C'est prêt et ça va refroidir.

— On ne prend pas l'apéro ? Pour fêter les vacances ? proposa Jacques.

— Pas midi et soir, papa, lui rappela Nicolas. N'est-ce pas, maman ? Jeanne, tu termines ta cigarette, on passe à table !

— Fumer avant de manger… On aura tout vu ! Ça tue le goût et ça va finir par être un handicap dans son métier, insista Jacques en observant sa belle-fille, dehors sous le crachin breton.

— À sa décharge, tout le monde fume au restaurant. Mais il pue, ce chien ! remarqua Nicolas.

— Ah, merci ! fit Jacques. C'est une vraie infection, je suis d'accord. Si tu pouvais le dire à Laura pour qu'elle le fasse sortir de la cuisine, tu nous sauverais. Si c'est moi qui le demande, je vais encore me faire envoyer balader.

Stéphanie entra dans la cuisine et mit les mains sur sa bouche.

— C'est quoi cette odeur ? On dirait que quelqu'un a vomi !

— On soupçonne le chien, avança Jacques, content, pour une fois, de trouver en Stéphanie une alliée potentielle.

— De toute façon, ce n'est pas hygiénique, un chien dans une cuisine, enchaîna Nicolas.

— Laura, il pue ton chien ! lança Stéphanie. Tu ne l'as jamais lavé ou quoi ? J'ai envie de vomir. Je suis désolée, mais il ne reste pas dans la cuisine. Allez, oust, Jack ! ordonna-t-elle en le poussant du pied.

Laura saisit l'animal par le collier et le fit sortir à contrecœur de la cuisine. Quand elle revint, Jacques lui demanda :

— Pourquoi « Jack » déjà ?

— Et pourquoi pas ? Vous êtes content : j'ai mis le chien dans la pièce du fond…

— Moi, je n'ai rien dit ! se défendit Jacques. À table, tout le monde ! On va encore manger froid sinon.

— Ne crie pas, papa, on est tous là, fit observer Matthieu.

— Eh bien asseyez-vous, si vous êtes prêts. Il n'y a pas de plan de table, on n'est pas chez les Rothschild. Voilà, on va commencer à manger et les petits ont déjà fini ! remarqua Jacques, irrité. Servez-vous en asperges ! Mais où est passée Martine maintenant, il ne manque plus qu'elle. Martiiiiiiiiiiiiiiiine !

— Je suis là, ce n'est pas la peine de crier. J'étais allée chercher la bouteille de vin. Jeanne, tu nous expliques ce que tu as apporté ?

— Alors c'est un petit vin italien, un chianti, cépage sangiovese principalement. Il ira très bien avec la sauce tomate.

— Merci Jeanne. Stéphanie, je ne t'en propose pas ? tenta Jacques.

— Non merci, ce serait avec plaisir, mais je n'ai vraiment pas le droit.

— Vous avez vu ! continua Jacques, à une lettre près, chianti, ça s'écrit comme *chiante*… Tu as vu, Stéphanie ?

— Pourquoi vous me dites ça *à moi* ?

Sans même répondre, il se tourna vers son autre bru :

— Laura ? Il semble être sans sulfites. Tu en veux ? Tu ne prends pas d'asperges ? Elles sont bio pourtant. Martine est allée les acheter chez Biocoop spécialement pour toi.

— Non, merci, je n'aime pas les asperges, précisa Laura.

— Mais qu'est-ce que tu aimes, comme fruits et légumes ? Que l'on sache une bonne fois pour toutes… Si je me souviens bien, tu n'aimes pas la betterave, le kiwi, et maintenant les asperges. Ce n'est pas un peu contraignant quand on est végétarienne ?

— Ce n'est pas tout à fait ça. Le kiwi, je suis allergique.

— Moi, j'ai entendu dire qu'il y avait des allergies croisées entre le kiwi et le latex, dit Jeanne. C'est vrai, Laura ?

Laura devint toute rouge. Nicolas donna un grand coup de pied sous la table à Jeanne.

— Si Laura était allergique au latex, ça ferait longtemps qu'on aurait des petits-enfants, plaisanta Jacques.

— Mais vous avez déjà des petits-enfants ! riposta Stéphanie.

— Non, je veux dire… Bon, on l'ouvre cette bouteille, ou on ne fait que la regarder ?

— Oui, on a bien compris ce que tu voulais dire. Laisse Laura tranquille, implora Martine en se levant. C'est plus que limite, Jacques ! Laura, veux-tu des radis ou du concombre du jardin à la place des asperges ? Je te les prépare, cela prend deux secondes. Tu vas manger quelque chose quand même ?

Jacques, occupé à sucer et resucer son pain plein de vinaigrette, essuya le regard réprobateur de Martine.

— Tu me passes le pain qui est devant toi, Jeanne ? demanda-t-il pour redresser le cap.

— Pardon, je n'ai pas entendu. Le quoi ? Le *paing* ? questionna Jeanne de son accent chantant.

— Chez nous, on dit le « pain », dit Jacques en corrigeant l'accent méridional de sa belle-fille.

— Et chez moi on dit « s'il vous plaît » ! rétorqua Jeanne.

— Quelqu'un veut finir les trois dernières asperges ? proposa Martine pour couper court.

— Si personne n'en veut, je me dévoue, dit Stéphanie.

— Tu es sûre ? demanda Matthieu en faisant les gros yeux sur le ventre rebondi de son épouse, qui le fusilla du regard en saisissant tout de même le plat.

Le silence se fit. Ce fut le moment que Paul et Jules choisirent pour sortir de table et aller jouer au salon, trouvant sans intérêt la conversation des adultes, au vu du peu de gros mots prononcés.

— Allez, donnez-moi vos assiettes, les jeunes, que je vous serve les pâtes ! reprit Martine.

— Nous aussi on a des pâtes ? interrogea Jacques en faisant une moue déçue, tendant tout de même son assiette.

— Je ne sais pas, tu as préparé autre chose ? Allez, j'ai dit « tendez-moi vos assiettes, *les jeunes* », précisa Martine en repoussant l'assiette de son mari. Laura ?

— Euh, oui. Il y a juste de la tomate ou aussi de la viande dans votre bolognaise ? s'inquiéta Laura.

Exaspérée, Martine lâcha brusquement la louche dans le plat, éclaboussant la chemise de Jacques.

— Martiiiiiiiiine ! Mais quelle cloche ! Je suis couvert de sauce tomate. Ce n'est pas vrai !

— T'avais qu'à mettre ta serviette bien comme il faut, je te ferais dire !

C'était la petite voix enfantine de Paul, qui depuis le salon, rappelait les règles de base à son grand-père, déclenchant malgré lui le fou rire des trois belles-sœurs.

22

Rendre son tablier

Martine était furieuse. Après le déjeuner, Jacques avait eu droit à un débriefing salé. Laura, Stéphanie et Jeanne, elles aussi, avaient reproché à leurs compagnons leur manque de soutien. Fuyant les remontrances féminines, les fils et le père s'étaient retrouvés pour passer un peu de temps ensemble, à jouer au poker et à la console.

Erreur que de laisser trois belles-filles énervées comploter ensemble… Sur le muret au bout du jardin, alors que le soleil déclinait déjà, Stéphanie, Laura et Jeanne vidaient leur sac. Le jack russel jouait près d'elles, bondissant autour des trous laissés par les taupes.

Très rapidement, elles réalisèrent qu'elles en étaient arrivées au même point. Soit les choses changeaient radicalement et dès à présent, soit elles faisaient leurs valises et ne remettaient pas les pieds de sitôt dans leur belle-famille…

— Je suis en train de me faire manger par des petites bêtes, remarqua Laura, irritée. Tu me passes ton antimoustiques, Jeanne ?

— Je veux bien, mais il n'est pas bio…

— Là, on s'en fiche. C'est le cadet de mes soucis. Je suis en train de leur servir d'apéro, et à ce rythme je vais avoir les jambes couvertes de piqûres.

— En parlant d'apéro, j'ai une de ces faims, moi, reprit Stéphanie.

— Moi aussi, j'ai envie d'un hamburger de McDo, révéla Laura, pensive…

— Attends, tu n'es pas végétarienne, toi ?

— Si, mais ce n'est pas parce qu'on est au régime qu'on n'a pas le droit de lire le menu…

— Moi, je rêve de rillettes ! Depuis des mois. Mais ce n'est pas recommandé quand on est enceinte… Et ce n'est même pas scientifiquement prouvé ! Qu'est-ce qu'il ne faut pas faire pour être la maman parfaite…

— Pour ce que cela change au final… Regarde nos parents ! Ils ne modifiaient en rien leurs habitudes. Moi, je ne suivrai pas tous ces trucs quand je serai enceinte. C'est sûr ! conclut Jeanne. J'ai une envie de mojito ! Je commence à en avoir ras le bol des petits vins de Jacques ! Que diriez-vous d'aller en ville s'en siffler quelques-uns et décider de ce qu'on fait à propos de nos hommes ? Il faut qu'on mette Martine et Antoinette de notre côté…

Le deuxième jour des vacances, lors de l'apéritif du soir, les femmes avaient donc une annonce à faire.

— Ce matin, nous avons pris une grande décision avec les filles, commença Martine. À partir de ce soir, nous allons mettre en place les jours roses et les jours bleus.

— Euh, pardon Martine, mais on n'avait pas donné ces noms-là, la reprit Stéphanie. Je me bats suffisamment avec l'école et ses théories sexistes pour ne pas les retrouver quand je suis en vacances. Disons seulement les jours filles et les jours garçons.

— Si tu veux. Donc je disais : nous avons bien réfléchi et, à partir de maintenant, nous allons mettre en place, et ce dès ce soir, les jours filles et les jours garçons.

— Attends, Stéphanie, je n'ai pas compris. C'est quoi le problème avec le rose et le bleu ? demanda Laura.

— Le problème me semble évident ! On commence par accepter de représenter toutes les filles avec du rose et les garçons avec du bleu, et après on offre un aspirateur ou une dînette à Noël aux petites filles et une console avec des jeux de guerre ou des costumes de super-héros aux garçons. Et devinez ce qui se passe trente ans après ?

— Tu ne crois pas que tu exagères, Stéphanie ? fit Jacques.

— Pas tant que ça, chéri, car justement ce qu'on voulait vous dire avec tes belles-filles... continua Martine.

— Mais je ne vois pas le rapport avec le sexisme à l'école, Stéphanie, coupa Alexandre.

— Le rapport, je vais te l'expliquer. Tu commences avec le rose et le bleu, ensuite tu découvres que tes fils lisent des histoires dans lesquelles il est dit que les filles ne doivent jouer qu'avec les filles et que les garçons doivent rester entre eux. Avec des répliques du genre : « Oh, un garçon s'est trompé, il joue dans le groupe des filles. » Histoire que la maîtresse donne deux fois à lire le soir à ton fils et leçon que l'on colle bien en évidence sur le cahier de vie.

— Je suis désolé, mais je ne vois toujours pas le problème, continua Alexandre. C'est plutôt bien, qu'il y ait des personnes pour expliquer les codes sociaux dès le plus jeune âge. C'est quand même bizarre si ton fils ne joue qu'avec des filles, non ? Je suis plutôt d'accord avec la maîtresse sur ce coup-là.

— Bon, on peut savoir quelles sont les nouvelles règles filles/garçons ? Je meurs de soif et mon coteaux-du-layon se réchauffe, fit remarquer Jacques son verre de vin à la main.

— Pour faire simple, reprit Jeanne, aujourd'hui ce sont nous, les filles, qui avons tout fait, hier aussi d'ailleurs. Mais les vacances *all inclusive* s'arrêtent aujourd'hui. Demain, vous vous occupez des courses, du déjeuner et du dîner de tout le monde, petits et grands. Et après-demain, c'est à notre tour. Un jour sur deux, en somme.

— Je ne vois pas pourquoi vous avez besoin d'imposer des règles. On n'est pas dans « Super Nanny ». Il suffit de demander et on vous file un coup de main, fit remarquer Matthieu.

— Justement, ce n'est pas ça que l'on veut. On ne veut pas être d'astreinte tous les jours et ne recevoir qu'une aide ponctuelle. On veut se sentir en vacances nous aussi, au moins un jour sur deux, si ce n'est pas trop demander.

— Hé les Femen, vous avez fini ? ironisa Nicolas, aussitôt rabroué d'un regard assassin de Jeanne.

— Tant qu'elles nous montrent leurs seins un jour sur deux, ça me va ! surenchérit Alexandre, provoquant un malaise palpable.

— Je vous rappelle qu'Antoinette fait partie du groupe des filles… précisa Laura pour changer de sujet.

23

Chercher une aiguille dans une botte de foin

Malgré un démarrage difficile, dans l'ensemble, la semaine de vacances s'était plutôt bien déroulée. Ils avaient tous surmonté les soirées filles (« Qui reprendra du pisse-mémé ? ») et garçons (« Ce match est décisif pour la saison ! »).

Tous avaient survécu donc, sauf le nez de Jacques. Le père de famille avait beau être sous antihistaminiques, il n'y avait pas à dire, il était allergique à Jack. Et le huis clos qui s'imposait en cas de pluie ne l'aidait pas, car Laura refusait catégoriquement de mettre son chien dehors. Martine ne prenait pas position, mais Jacques savait qu'il faudrait trancher si les enfants se décidaient à revenir passer des vacances chez eux. Il ne survivrait pas à une nouvelle cohabitation forcée avec ce cabot.

Heureusement il y avait eu une accalmie dans la semaine et Jacques avait pu sortir dans le jardin. Son potager se portait à merveille. Il avait emmené les petits avec lui et, à son grand désespoir, Paul et Jules n'avaient même pas été capables de différencier les courgettes des concombres. Ah, ces Parisiens ! En revanche, ils avaient été bien plus rapides que lui et Antoinette pour dénicher les œufs de Pâques, et ils n'avaient pas rechigné pour aller chercher ceux qui étaient dissimulés dans les orties, cachette qui avait fortement déplu à Stéphanie. Mais le séjour touchait à sa fin et Jacques s'en réjouissait.

Dans son fauteuil, près du feu de cheminée, il était en pleine digestion quand Stéphanie le tira de sa rêverie :

— Jacques, ils devaient passer quand exactement les ouvriers ? Parce que là, c'est trop tard. Regardez ! La rambarde m'est carrément restée dans la main.

Stéphanie tenait un bout de ferraille.

— Mais tu as tiré dessus comme une brute ou quoi ?!

— Pas du tout, je me penchais simplement afin de fermer les volets pour la sieste des petits. J'aurais pu passer par-dessus bord, Jacques. Il faut qu'on trouve une solution.

— Ce que je te propose, c'est que tu laisses les volets fermés après la sieste, de toute façon les enfants ne jouent jamais dans leur chambre, il n'y a qu'à voir tous les Lego éparpillés dans la maison. Je m'en occuperai après votre départ.

— Pendant que vous y êtes, allez voir votre portail aussi. Il claque mais ne s'enclenche plus. C'est mortel, ça, avec la route qui passe et les enfants. Heureusement qu'il pleut, et que Jules et Paul ne jouent pas dehors.

— Tiens, je pense à quelque chose : ça te ferait plaisir si je leur construisais une cabane pour cet été ?

— Jacques, ce qui me ferait vraiment plaisir, c'est que vous vous occupiez d'abord de leur sécurité. Quand ce sera fait, on en reparlera, d'accord ? Vous avez vu Matthieu ? Je le cherche partout.

— Il doit être dans la salle télé avec ses frères.

— Encore ? Mais ils y ont passé toute la journée d'hier. Matthieuuuu !

Jacques se recala bien au fond de son fauteuil et il piquait déjà du nez quand quelque chose lui tomba dessus. Le jack russel avait bondi pour gober une mouche et atterri sur ses genoux. Le chien en profita pour ramasser le petit-beurre Lu tombé dans un recoin du fauteuil avant de s'enfuir aussi vite qu'il était venu.

— Argh ! hurla Jacques en se réveillant. Va dans ton coin, toi. A... a... a... aaaatchoum !

Stéphanie revint au salon :

— Jacques, ils ne sont pas dans la salle télé. Vous ne savez vraiment pas où ils se trouvent ?

— Aucune idée… Ah si, tout à l'heure ils m'ont dit qu'ils iraient bien faire un tour au casino, à Dinard. Ils ont dû se décider à y aller. Tu ne veux pas t'asseoir et te détendre un peu ? Profite de la sieste des petits pour te reposer aussi, Stéphanie !

— Non, je vais aller voir si la voiture est encore devant la maison. Il est culotté de me laisser comme ça, à m'occuper des enfants, sans m'avertir en plus…

La jeune femme enfila une veste et prit un petit gâteau avant de sortir. Quand elle revint, elle était furieuse.

— Il semblerait que ces messieurs soient partis avec *notre* voiture, et sans leurs portables. Ils vont m'entendre ! En attendant, je vais aller m'allonger un moment, vous avez raison. Où sont Laura et Jeanne ?

— Elles font les courses avec Martine pour ce soir, je crois…

Jacques se réinstalla pour la troisième fois dans son fauteuil, et décida de se laisser glisser vers un sommeil sans rêves. Une idée lui traversa l'esprit furtivement : il aurait pu proposer à Martine de l'accompagner pour les dernières courses des vacances, mais bon… il n'y avait pas pensé. Espérons qu'elle non plus. Il se félicita d'avoir eu l'idée de la cabane avec Stéphanie, pour la calmer. Elle s'était montrée intraitable avec son histoire de rambardes et de portail. *Allez, plus qu'un dodo et au revoir tout le monde. On tient le bon bout !* songea-t-il.

24

La faute à pas de chance

Quand Martine et ses deux belles-filles revinrent des courses, elles étaient étonnamment joyeuses. Jacques s'approcha de la cuisine et les entendit rire à gorge déployée.

— Et quand il t'a dit : « Virgin mojito, je ne savais pas que ça existait un mojito Coca ! » Quel naze, celui-là, conclut Jeanne.

— Ça va les filles ? C'était bien les courses ? demanda Jacques.

— Qu'avez-vous fait de mon chien, Jacques ? interrogea Laura.

— Moi, strictement rien, pourtant ce n'est pas l'envie qui me manque de le mettre dehors. J'ai le nez et la gorge qui me démangent, c'est horrible !

— Faites-vous prescrire des médicaments plus forts, lui conseilla Laura.

— Bah oui, et pourquoi pas du Prozac !

— Tiens, je me demande si je n'entends pas les petits. Ils ont dû se réveiller de leur sieste. Jacques, où est Stéphanie ? demanda Martine.

— Mais je ne sais pas, moi, où sont les gens ! Pourquoi tout le monde me le demande ? Elle dort, probablement.

— Merci pour ton aide, c'est vraiment très aimable. Je vais donc aller les chercher avant qu'ils ne réveillent leur mère. Si tu peux ranger les courses dans le frigo, au moins..., dit Martine en montant.

Elle redescendit quelques minutes plus tard tenant les deux petits par la main.

— Dis-moi Jacques, c'est une catastrophe ! Il n'y a plus de garde-corps *du tout* dans la chambre des petits. J'ai ouvert les volets et les garçons auraient presque pu basculer. Il faut que tu fasses quelque chose avant que Stéphanie ne s'en aperçoive !

— Trop tard, elle a déjà appelé la DDASS ! Je vais monter voir, ne t'inquiète pas. Et que penses-tu, toi, de construire une cabane au fond du jardin pour les petits, cet été ?

— Mmm... Je pense qu'ils préféreraient tous une piscine...

Jacques grommela en grimpant à l'étage. Quand il entendit arriver ses fils, il redescendit aussitôt :

— Ah, vous revoilà ! C'était bien le casino ? Vous avez perdu combien ?

— Mais, on n'est pas allés au casino ! On est allés boire une bière au port, répondit Alexandre.

— Jacques, je suis sérieuse. Où est mon chien ? reprit Laura Je l'ai cherché partout et je ne le vois nulle part.

— Mais il était là il n'y a même pas une heure, à me sauter dessus et à me piquer mon gâteau ! Il ne doit pas être loin.

— Jacques, si je peux me permettre, le portail n'était pas fermé quand on est rentrées... précisa Jeanne.

— Quoi !? s'exclama Laura.

— Je vous avais dit que vos rambardes et votre portail étaient défectueux, conclut Stéphanie, apparemment réveillée de sa sieste.

— Attends, Laura, ce n'est sûrement rien, la rassura Martine. On va tous s'y mettre. Jack ne peut pas être bien loin. Il était encore là il y a quelques minutes.

— Je vais mettre un peu de musique pour détendre l'atmosphère, proposa Jacques en actionnant la chaîne hi-fi. Mais, où est mon CD ? Qui l'a enlevé ? Pour mettre Goldman, en plus !

— Ce n'est pas le moment de nous chauffer les oreilles avec ta musique. Viens plutôt réparer *tes* erreurs et chercher le chien avec nous, lui lança Martine.

— *Mes* erreurs ? J'ai le dos large ! Ce n'est pas moi qui suis sorti et ai laissé la porte ouverte derrière moi, suivez mon regard… dit-il en tournant la tête vers Stéphanie.

— Jacques, vraiment, on s'en contrefiche de savoir à qui incombe la faute, reprit Martine.

— Enfin, tout cela ne serait pas arrivé si on avait laissé le chien attaché dehors, comme je le proposais depuis le début !

— Stop ! s'énerva Martine. Tu dépasses vraiment les bornes. Arrête avec tes règles castratrices ! Les « on fait ceci », « on devrait faire cela »… J'ai l'impression de vivre avec Hitler parfois !

— Moi, Hitler !? Il va falloir qu'elle s'excuse, ta mère ! protesta-t-il en prenant Matthieu à partie. Moi Hitler ? Elle devient vraiment folle, la pauvre…

— Fous-leur la paix ! Fous-*nous* la paix ! Merde, alors ! explosa Martine.

— Mamie, elle a dit un gros mot, cria le petit Jules.

25

Soupe à la grimace

Une semaine était passée. Jacques était serein. Pour lui, il était évident qu'ils allaient retrouver le chien. Certes, cela avait été un peu long, et Laura et Alexandre avaient dû rentrer à Paris sans lui. Mais l'important était qu'il soit sain et sauf, ce qui arrangerait sérieusement ses affaires avec sa belle-fille.

Si Jacques avait trouvé le moyen de sauver les meubles avec Laura en retrouvant le chien, rien n'était moins sûr avec Martine. Elle ne lui adressait plus la parole depuis une semaine. Elle prenait même des somnifères pour ne pas l'entendre se coucher. Elle n'acceptait plus ses invitations à déjeuner et, à la place, allait manger avec Daniel.

Pour l'amadouer, Jacques décida de faire vibrer la corde sensible : les enfants. Ce maudit chien allait lui fournir une aide précieuse.

— Allô Laura ? C'est Jacques.

— Bonjour.

— Nous avons retrouvé Jack ! Pas très loin de la maison, il était dans le jardin d'un des voisins ! Il est en pleine forme. Je peux faire l'aller-retour pour te le ramener, si cela t'arrange.

— Oui, s'il vous plaît. Demain ?

— Euh, demain, il y a les entrepreneurs pour les rambardes, donc plutôt après-demain.

— Eh bien, dans ce cas, venez ce week-end avec Martine.

— D'accord, avec plaisir, répondit Jacques en s'efforçant de prendre un ton réjoui. À samedi alors.

— Oui, et n'oubliez pas de demander à vos entrepreneurs de faire également réparer le portail.

Quand sa femme rentra du travail, Jacques lui annonça que Laura les avait invités pour le week-end à Paris. Martine hocha la tête et lui dit simplement :

— Tu penseras à présenter tes excuses pour le chien, je suis sûre que tu as oublié de le faire. Bonne nuit !

Dans la voiture qui roulait vers Paris, avec le chien à l'arrière, Jacques sentait son nez qui le démangeait. Il avait pourtant déjà avalé un comprimé.

— Martine, tu as pris mes médicaments contre les allergies ?

— Oui, Jacques, répondit-elle, exaspérée. Dans mon sac. Mais tu pourrais y penser tout seul, non ? Tu en veux un ?

— Non, je le prendrai juste avant de monter chez eux. Je te préviens, avec le chat par-dessus le marché, j'ai l'impression que je vais mourir. J'espère que tu notes les efforts que je fais en allant chez Alexandre et Laura pour essayer de recoller les morceaux.

Martine le fusilla du regard.

— OK. Je ne dis plus rien, se reprit Jacques, se concentrant sur la route. Bouche cousue, patronne !

Jacques n'aimait vraiment pas partir de chez lui. Encore moins pour aller camper sur le canapé d'un de ses fils. Il avait passé l'âge, mais si c'était cela le prix à payer pour se réconcilier avec sa belle-fille et sa femme, il s'y résignait. Il avait ses petites habitudes, sa vie pépère. Cela n'avait aucun rapport avec son travail, il avait même oublié de prendre son BlackBerry cette fois, ce que Martine s'était abstenue de lui faire remarquer.

Là, on lui imposait une triple torture : l'éloignement, le chien et le chat, et surtout… Laura ! De toutes ses belles-filles, elle était sûrement la plus susceptible. Le week-end de réconciliation pouvait être à double tranchant. Quelle que soit la discussion, elle voyait le mal partout et le prenait de manière personnelle. Et, cerise sur le gâteau, elle était rancunière, ce qui promettait pour les années à venir si à trente-deux ans elle se braquait déjà aussi facilement. Il ne fallait vraiment pas se louper sur ce coup-là. Alors Jacques avait fait la liste de tous les sujets à éviter et se les repassait mentalement : nourriture, politique, argent, animaux. Souvent il se demandait comment son fils faisait pour vivre avec une chieuse à principes comme elle. Déjà plus de trois ans qu'ils étaient ensemble. Mais l'amour rend aveugle, dit-on…

Une fois qu'ils furent arrivés, Jacques tourna vingt minutes avant de trouver une place livraison où garer la voiture. Martine prit le chien et Jacques se chargea du bonsaï qu'il avait acheté pour se faire pardonner. Pas de message subliminal cette fois. Un véritable exploit pour lui !

Devant la porte de leurs hôtes, Jacques goba un comprimé contre les allergies et prit une grande inspiration. Le supplice allait commencer. Sans parler du dîner de légumes…

— Bonsoir Alexandre, bonsoir Laura. Et revoici Jack ! annonça Martine.

— Salut Laura, salut Alex. Tenez, j'ai un petit quelque chose pour vous. Pour m'excuser, précisa Jacques en leur tendant le bonsaï. Et j'ai fait réparer le portail, ajouta-t-il fièrement, comme s'il avait grimpé l'Himalaya.

— Tant mieux ! Asseyez-vous sur le canapé. Alors, si cela vous tente, voici le programme de ce soir : apéritif maintenant, puis théâtre, et enfin, dîner à la maison.

— Le théâtre ! C'est une magnifique surprise. On adore avec Jacques ! On irait bien tous les mois, mais il n'y a pas grand-chose de passionnant près de chez nous. Merci beaucoup, Laura, pour cette attention.

— Ça, c'est vrai ! Autant je n'aime pas l'opéra, autant je suis friand de théâtre. On va voir une pièce classique ou de boulevard ? soupira Jacques en bâillant.

— De boulevard. Tout le monde en dit du bien, j'espère que ce sera à la hauteur des critiques ! ajouta Alexandre.

Laura revint de la cuisine avec un plateau de verrines.

— Faites de la place. Voici les amuse-bouches. Il y a deux types de verrines : roquette/chèvre frais et aubergine/mozzarella façon lasagnes végétariennes.

Désespéré, Jacques jeta un regard en coin à Martine qui lui fit immédiatement les gros yeux. Il détestait la roquette et plus encore les aubergines. Même sa mère, Antoinette, n'avait jamais pu lui en faire avaler.

— Ç'a l'air vraiment délicieux, Laura, la complimenta Martine.

— Je vous conseille de commencer par celle au fromage de chèvre, qui est plus fraîche.

Sur le canapé très bas, Martine donna un coup de coude à son mari qui s'exécuta et prit une mini-cuillerée du bout des lèvres, avant de lancer un regard interrogateur à sa femme. Il avala une deuxième bouchée de manière plus assurée, puis en engloutit une dernière en prenant bien soin de racler les parois de la verrine.

— Pour être honnête, Laura, je déteste la roquette, mais là... J'ai trouvé ça délicieux. Mes compliments ! Si tu en as une en trop, je suis preneur. Surtout que je ne tiens pas trop à l'aubergine.

— C'est que vous êtes difficile avec les fruits et les légumes, ironisa Laura. Vous faites comment pour votre régime anticholestérol ? Je suis désolée, mais je n'en ai pas préparé plus. En revanche, goûtez celle à l'aubergine, à moins que vous ne soyez vraiment allergique, et dites-moi ce qui vous déplaît.

Jacques fuit le regard de sa femme qui le fixait, déglutit avec difficulté et plongea sa cuillère dans la verrine. Il tournait autour de l'aubergine, creusait pour essayer de ne prendre que la mozzarella, mais, comme dans les lasagnes, les deux ingrédients semblaient indissociables. Il finit par avaler une petite bouchée et se laissa surprendre par le goût caramélisé du mélange. Une autre cuillerée et, déjà, le contenu de la verrine avait disparu dans son estomac.

— Pour quelqu'un qui n'aime pas les aubergines, vous ne vous êtes pas fait prier ! Alors, qu'est-ce que vous en avez pensé ? demanda Laura.

— Eh bien, d'habitude je n'aime vraiment pas les aubergines, je déteste même. Mais là, aussi surprenant que cela puisse paraître, c'était vraiment très bon. Si quelqu'un ne finit pas, je suis preneur ! Et je ne dis pas ça par politesse, vous me connaissez assez pour le savoir, conclut Jacques avec un nouveau bâillement.

— Oui, Jacques, on vous connaît ! lança Laura sur un ton que son beau-père n'était pas certain de vouloir interpréter. On termine nos verres et on y va ?

De retour chez Alexandre et Laura, après leur soirée théâtre, alors qu'ils étaient allongés dans le Clic-Clac du salon, Martine invectiva son mari à voix basse :

— Vraiment, tu es intenable ! Tu me fais honte, Jacques ! Tu l'as fait exprès ou quoi ? Laura ne te le pardonnera jamais. Un effort, un soir, et toi, tu t'endors au théâtre !

Jacques, honteux, n'osait pas regarder sa femme.

— On n'entendait que tes ronflements. Tu nous as vraiment ridiculisés. Tout le monde se retournait ! Tu n'as même pas besoin de lui dire que ça ne t'a pas plu. Elle a compris toute seule.

— Mais je te le jure Martine, je ne sais pas ce qui s'est passé ! J'ai essayé de lutter mais j'étais trop fatigué. Sûrement à cause du trajet en voiture. Avec l'allergie par-dessus le marché, je suis vraiment frustré : sincèrement j'adore les pièces du théâtre Édouard-VII et je suis sûr que celle-là était géniale. Mais je ne peux même pas en juger, je n'ai vu que le début !

— Tu n'as vu que les cinq premières minutes, tu veux dire ! Je trouve que ça ressemblait fortement à quelqu'un qui avait décidé qu'il passerait une mauvaise soirée et qui avait pris un somnifère pour l'écourter ! Dans la voiture, au retour, tu dormais carrément sur mes genoux ! Au moins, le chat ne t'a pas posé de problème d'allergies ce soir.

— Tu plaisantes ? Mes éternuements m'ont réveillé. Ils sont de moins en moins efficaces, ces comprimés. Laura a peut-être raison, je devrais essayer quelque chose de plus fort. Tiens, redonne-moi ton sac. Il faut que je prenne un deuxième cachet, sinon je ne vais jamais me rendormir.

— Tu sais bien que le second ne fait pas plus d'effet ! Fais attention avec l'automédication.

Jacques saisit le sac à main de Martine et en sortit la boîte de médicaments. Il allait avaler un comprimé quand sa femme s'écria :

— Mais qu'est-ce que tu fais ?

— Comment ça ? Ça se voit ! Je reprends un médoc.

— Mais c'est mon Stilnox, ça !

— Quoi ? Mais non, c'est mon Zyrtec, le comprimé est blanc, regarde !

— Lis un peu ce qui est écrit dessus ! S-T-I-L-N-O-X.

— Attends, je n'ai pas mes lunettes.

— Mais quel abruti ! Si tu confonds ton antihistaminique avec mes somnifères, je comprends mieux pourquoi tu étais dans cet état ce soir… conclut Martine, désabusée.

— C'est de ta faute ! Ils ont exactement la même tête ! Qu'est-ce que tu as besoin de les mettre ensemble ? Et tu peux me rappeler pourquoi tu prends des pilules pour dormir en voyage ?

— Dans deux minutes, toute cette histoire va être de ma faute ! Fais attention, Jacques, c'est limite ! Et tu sais très bien pourquoi j'ai besoin de mes cachets : je ne ferme pas l'œil de la nuit quand je ne dors pas à la maison. Bon, au moins on a une explication pour Laura. Je te rappelle que nous étions venus pour faire oublier ta boulette avec Jack, pas pour créer un nouvel incident diplomatique ! Encore raté !

26

On n'attrape pas les mouches avec du vinaigre

Perdu pour perdu avec Laura, Jacques adopta une nouvelle stratégie : se focaliser sur la belle-fille avec qui il était plus facile – a priori – de marquer des points. Stéphanie. Sa faiblesse : la fatigue due à sa grossesse.

Maintenant que les rambardes étaient fixées, le portail sécurisé, et la cabane pour les enfants commandée, Jacques proposa à Stéphanie de lui confier les petits pendant deux semaines en juillet, avant leurs vacances communes. Elle pourrait ainsi se reposer un peu avant l'arrivée du petit troisième, prévu pour la fin août. Une ruse autant destinée à recoller les morceaux avec sa belle-fille qu'à se faire pardonner par sa femme.

C'est avec soulagement et empressement que Stéphanie accepta la proposition de Jacques, tout en songeant tout de même qu'il serait bon que Martine soit là pour surveiller son beau-père.

Le grand-père avait hâte de pouvoir « remettre les deux petits à niveau », comme il disait. Il avait beaucoup à leur apprendre, il voulait notamment leur montrer comment s'occuper d'un potager, comment reconnaître les différentes espèces d'arbres, et les emmener à la plage à la recherche de trésors.

Les enfants arrivèrent enfin pour ces vacances privées chez leurs grands-parents. Quand leurs parents n'étaient pas là, Paul et Jules étaient vraiment adorables, curieux, sages et très câlins avec leur papy. Jacques n'aurait jamais pensé que passer du temps avec ses petits-fils pourrait l'amuser autant. Ils restaient des après-midi entiers aux abords de la cabane, qu'il pleuve ou qu'il vente, Jacques dehors, les petits chevaliers à l'intérieur occupés à sauver une princesse (la poupée manchote), à cacher un trésor (des pièces en chocolat) ou encore à chanter du Michel Sardou.

Dame Martine observait de loin les trois mousquetaires qui riaient ensemble. Elle préparait des grenadines et des cookies aux petits héros, et ajoutait parfois des petits-beurre Lu pour le papy. Le jeu continuait avec le « bain des pirates », le « festin des rois » et l'histoire du soir avec

« Copain des Bois », pendant laquelle on révisait les aliments de survie que l'on pouvait trouver en forêt ou dans un potager.

Pour une fois, Martine avait elle aussi l'impression d'être en vacances. Sa tension, d'habitude si faible, était très bonne. Même Jacques était méconnaissable : la sieste des petits était maintenant trop longue pour lui. Il n'avait qu'une envie, l'écourter pour retourner jouer avec eux. Alors pendant ce temps il redoublait d'imagination : il finissait de fignoler la cabane, au fond du jardin, il fabriquait un théâtre en bois pour Guignol, créait des énigmes pour une chasse au trésor dans le jardin ou encore ravitaillait le coffre-fort de la cabane en bonbons acidulés.

Jacques ne pensa pas une seule fois au travail, et quand on l'appela pour lui demander de passer sur un chantier, il s'étonna lui-même en répondant qu'il n'était pas disponible et qu'ils n'avaient qu'à y envoyer le nouvel ingénieur. Martine espérait que ce revirement durerait, mais elle n'y croyait pas vraiment.

La veille du jour où devaient arriver les parents de Jules et Paul, Jacques et Martine s'accordèrent pour dire que le bon temps était probablement fini, et que leurs deux adorables petits-fils allaient bien leur manquer lorsqu'ils allaient laisser place à deux garçons capricieux.

La famille au grand complet débarquait pour dix jours. Si Martine n'avait pas eu à surveiller Jacques pendant les deux semaines avec les enfants, elle l'encouragea à poursuivre sur la même lignée, sans omettre de le féliciter pour sa bonne humeur. Dix petits jours, pendant lesquels il lui faudrait être courtois, serviable, aidant, divertissant avec ses trois belles-filles. Et avec Martine. Dix malheureux jours.

27

Qui aime bien châtie bien

C'était prévisible : la tension était subitement montée d'un cran à l'arrivée de Matthieu et Stéphanie. Jules et Paul n'étaient pas moins sages, mais Jacques et Martine devaient essuyer les remarques acerbes de Stéphanie. Des piques à son mari qui n'en faisait pas assez, des commentaires sur le frigo de sa belle-mère qui ne contenait rien qu'elle puisse manger… Dès les premières heures, Martine montra des signes de fatigue. Jacques prit les choses en main et en toucha deux mots à Matthieu.

— Tes enfants ont été de vrais anges pendant deux semaines. On serait ravis de les garder à nouveau l'année prochaine, si vous avez besoin. En revanche, il va falloir nous donner un coup de main pendant ces dix jours. Ta mère fait des baisses de tension et je ne veux pas qu'on la regarde tous s'épuiser à la tâche, entre les courses, les repas et les enfants. Et surtout, pas de remarques désobligeantes, ni de ta part, ni de celle de Stéphanie.

— J'ai saisi le message. J'ai une idée pour mieux répartir les tâches, attendons l'arrivée des autres ce soir pour en discuter. En ce qui concerne Stéphanie, j'essaie de la gérer, mais elle est très susceptible en ce moment. Les hormones, il faut croire…

La journée fut longue. La femme enceinte râlait pour un rien, de ne pas pouvoir rester longtemps assise, de ne pas pouvoir se balader le long de la plage à cause de son nerf sciatique et de son besoin constant d'aller aux toilettes, de ne pas pouvoir goûter la côte de bœuf bien saignante ou le vin, de ne pas pouvoir monter l'escalier sans faire une pause, de son mal de tête, de ses ligaments qui tiraient au niveau des hanches, de la fête qui s'organisait dans son ventre dès qu'elle s'assoupissait. Bref, elle était d'une humeur de chien, et tout le monde se tenait au garde-à-vous, prêt à lui tendre un coussin pour soulager son fessier, à carboniser sa tranche de bœuf, à monter coucher les petits, à lui masser le bas du dos ou lui faire couler un bain chaud. Bref, pas de tout repos, cette toute première journée de vacances !

Quand, à 19 heures, Laura, Alexandre, Jeanne et Nicolas se garèrent, Martine et Jacques se lancèrent un regard entendu. C'était maintenant que tout commençait vraiment. Maintenant qu'il fallait faire le dos rond.

Une fois les bises échangées, Martine préparait les coupes de champagne pour l'apéritif quand soudain elle vacilla. Alexandre la soutint juste à temps pour l'empêcher de tomber, et Jacques bondit du canapé, récupérant au vol le plateau avec les verres.

— Assieds-toi, Martine. Je vais te chercher de l'eau. Ne bouge pas, lui intima-t-il gentiment.

— Je vais bien, je t'assure, j'ai juste la tête qui tourne. Dans quelques secondes, tout sera rentré dans l'ordre.

— Oui maman, bien sûr, enchaîna Matthieu, jusqu'à ta prochaine chute de tension. Ce n'est pas parce qu'on passe des vacances dans *ta* maison que tu dois tout faire. Je vais te dire quelque chose qui va te surprendre mais, aussi agréable soit-il de se faire chouchouter par papa et maman, nous sommes grands maintenant, nous pouvons prendre le relais. Et surtout, tu es toi aussi en vacances, même si tu sembles l'oublier. Avec papa, on a eu une idée, si vous êtes d'accord, on va tous mettre la main à la pâte pendant ces vacances.

Stéphanie écarquilla les yeux et s'enfonça plus profondément dans le canapé. Elle aurait aimé que Matthieu l'informe avant de cette idée de volontariat collectif. Elle écouta la suite avec inquiétude :

— On va tous aider à faire les courses, préparer les déjeuners, les dîners et la vaisselle, expliqua-t-il.

Prise soudainement d'une bouffée de chaleur, Stéphanie attrapa un magazine et s'éventa.

— Et pour rendre les choses encore plus amusantes, on va le faire en binôme, on tirera les équipes au sort. J'ai déjà tout préparé, poursuivit Matthieu en montrant un bout de papier sur lequel était inscrit « Jacques ». Stéphanie eut une remontée gastrique.

— Si vous êtes d'accord, on exclut maman et Stéphanie, enchaîna l'aîné de la fratrie. Il reste donc six personnes, pour trois équipes.

— Super idée ! fit Alexandre, enthousiaste.

— Alléluia ! soupira Stéphanie, soulagée d'être exemptée.

— Je peux m'occuper des repas du midi, proposa Nicolas. Ce ne sera pas tous les jours des déjeuners étoilés mais je ferai en sorte que ce soit bon. Ça vous va ?

— Mais, enfin ! Vous n'allez pas vous mettre en cuisine pendant vos vacances, rétorqua Martine, outrée. Jacques, je ne suis pas d'accord. Je me suis toujours occupée des repas, il n'y a pas de raison pour que cela change.

— Maman, nous ne sommes plus des bébés mais de véritables goinfres ! Et surtout, nous sommes des adultes responsables, enfin presque tous, ironisa Matthieu en faisant un clin d'œil à son père. Que ceux qui sont d'accord pour une préparation des dîners en binôme et des déjeuners par Nicolas lèvent la main !

Jeanne, Nicolas, Stéphanie, Laura, Alexandre et Matthieu hissèrent le bras. Jacques aurait bien voulu les imiter, mais Martine l'en empêchait !

— Donc, cela fait six « pour ». Loi adoptée à la majorité. Désolé, maman… Et maintenant, la partie la plus sympa : le tirage au sort des équipes. Je m'excuse par avance pour celui qui tombera avec papa. Bonne chance !

— Tu es sympa… Sache qu'il y a tout de même deux ou trois plats que je maîtrise, rétorqua Jacques. Et du niveau « MasterChef » !

— On ne demande qu'à voir, Jacques, et à déguster surtout ! ajouta Laura avec un grand sourire.

— Pour la main innocente, prenons la plus jeune. Jeanne ? Vas-y, pioche un billet, lui dit Matthieu.

— Alors, suspense… Le premier binôme est composé de… Stéphanie !

— Mais je croyais que je ne participais pas moi ? demanda cette dernière, paniquée.

— Oui, pardon, j'ai oublié de retirer ton papier et celui de maman, s'excusa Matthieu. Faux départ, on recommence…

— Alors, roulements de tambour… Le premier binôme est composé de… Jacques ! annonça Jeanne.

— Ça promet ! On va bien manger demain soir. Prévoyez un McDo avant, titilla Alexandre.

— Arrêtez, cela dépend de celui ou celle avec qui il tombe ! dit Jeanne.

— Je te remercie pour ton soutien, Jeanne, répondit l'intéressé, même si j'aurais préféré que tu dises quelque chose comme « laissons-lui le bénéfice du doute ».

— Ce n'est pas ce que j'ai dit ? Bref, le deuxième membre du binôme, est… Jeanne ! Moi ?! On est ensemble Jacques !

— Ouf, on est sauvés ! Imaginez, s'il était tombé avec Laura, lança Matthieu.

— Hé, je ne vous permets pas ! Je cuisine très bien. Alexandre est le seul d'entre vous, à part Jacques bien sûr, qui n'a pas que la peau sur les os, je vous fais remarquer. Et puis, Jacques et Martine ont adoré les verrines végétariennes que je leur ai faites la dernière fois… à défaut d'apprécier le théâtre, ajouta Laura en fixant Jacques.

— Allez, le deuxième binôme, reprit Jeanne pour éviter une énième discussion sur ce sujet épineux. Alexandre… et Laura !

— Ah non, pas les couples ensemble. C'est interdit. Pioche un autre papier, on remettra Laura après.

— Alors, Alexandre et… Nicolas.

— Super ! dit Alexandre, je tombe avec le meilleur. On va tout déchirer. Ça va être encore mieux que « MasterChef » !

— Donc, plus de surprise pour le dernier binôme : Laura et Matthieu.

— Parfait, je suis ravi, dit Matthieu à sa belle-sœur. J'ai déjà une idée de plat, on en parle après. Donc le premier binôme prépare le dîner demain, le deuxième le soir suivant, le troisième le soir d'après et ainsi de suite. Et un grand merci à Nicolas qui s'occupera de tous les déjeuners.

— Je suis désolée mais moi, ça ne me va pas du tout, reprit Martine. Je ne vais pas vous faire cuisiner chez moi, et pendant vos vacances qui plus est. Je n'en dormirais pas de la nuit !

— Au pire tu prendras du Stilnox, plaisanta Alexandre.

— Notre décision est prise, maman. Point barre, conclut Matthieu.

— Bon, si je ne parviens pas à vous faire changer d'avis, je veux au moins faire le dîner du quatrième soir.

— Vendu ! Mais avec l'aide de tout le monde pour les courses et la vaisselle, lui concéda Matthieu.

Stéphanie s'enfonça dans le canapé. Elle était heureuse d'échapper à cette épreuve, elle qui ne cuisinait jamais et qui surtout ne se sentait pas au top pour rester debout à respirer des effluves de nourriture, les nausées ne l'ayant jamais quittée depuis le début de sa grossesse. Dix jours avec sa belle-famille étaient déjà une gageure, alors autant éviter les corvées supplémentaires. Elle en profita pour rappeler une règle essentielle :

— Si je peux juste me permettre un détail pour ceux qui font les courses : pensez à prendre des choses que je peux manger, donc pas de lait cru, pas de charcuterie, pas de coquillages, pas de viandes ni de poissons crus, et pas de bonbons pour mes enfants !

Laura s'engouffra dans la brèche :

— J'en profite pour vous rappeler que je suis allergique au kiwi et…

— Et au latex, oui… Donc on ne prend pas de capotes, entendu ! conclut Nicolas.

Laura fusilla son beau-frère du regard et poursuivit :

— Je disais donc, je ne veux pas vous empêcher de manger de la viande pendant dix jours, mais ce serait sympa si vous pouviez préparer une assiette à part pour votre végétarienne préférée…

Tout le monde se regarda et, intérieurement, poussa un ouf de soulagement.

— On fera pareil pour toi, Stéphanie, une assiette à part, conclut Nicolas. On a bien noté les requêtes. Ça va être simple, tout ça…

Stéphanie fit une moue boudeuse. Elle aurait préféré que sa belle-famille la soutienne davantage, en ne mangeant pas devant elle tout ce qui lui était interdit. Mais bon, tant qu'ils pensaient à lui acheter du fromage pasteurisé, elle survivrait… Elle se consola en saisissant le dernier Apéricube.

28

Est-ce que je te demande si ta grand-mère fait du vélo ?

Sur la table basse du salon, les plats à gâteaux apéritif étaient vides, ainsi que les coupes. Après le dîner, ils avaient regagné le salon pour passer un moment tous ensemble, en famille. Jeanne se leva pour aller fumer à l'extérieur. Seule. Sur le canapé, Laura se retourna et attrapa un album photo dans la bibliothèque.

— Oh mon Dieu, une photo collector ! Jacques, il faut qu'on parle : vous avez eu une moustache ?! On dirait Tom Selleck dans *Magnum* ! Et ce costume blanc !

— Oui c'était pour notre mariage. Quand je vous disais qu'à une époque Jacques avait été hippie ! rappela Martine.

— Je ne suis pas sûr que ce soit un look hippie mais, si tu as encore ton costume, on peut organiser une soirée à thème ! plaisanta Nicolas.

— « Ben dis donc… tu viens plus aux soirées ? », continua Alexandre en imitant la voix d'Omar Sy dans le « SAV des émissions ».

— Arrêtez de vous moquer, les jeunes, rétorqua Jacques. Que l'un de vous se marie, déjà, et on en reparlera !

— Antoinette n'est pas sur la photo ? s'étonna Stéphanie.

— Disons qu'on était un peu rebelles et qu'on s'est passés de nos proches pour la cérémonie. Ce que ma famille a moyennement apprécié, commenta Martine. La tradition reste la tradition.

Jeanne revint de sa pause nicotine, s'installa sur le canapé et commença à feuilleter l'album photo déposé sur la table basse.

— Humm, quelle infection Jeanne ! Ça sent la clope ! pesta Jacques. Tu connais le tabagisme passif ? Et tu sais que tu te flingues le nez ?

Jeanne continua à compulser l'album et remarqua immédiatement un détail qui avait échappé à tout le monde :

— Je rêve ! Alors ça, c'est la meilleure ! Jacques, vous fumiez !? Vous remontez les bretelles de tout le monde avec la cigarette, mais vous avez été fumeur !

— Pas du tout ! Je n'ai jamais fumé *de ma vie* ! Où vas-tu chercher ça ?

— Je n'invente rien. Regardez la photo, là… dit-elle en collant son doigt sur la preuve irréfutable du crime de Jacques.

— Ah, ça ! Mais cela n'a rien à voir. C'est une pipe !

— Comment ça « rien à voir » ? Cela reste de la nicotine. C'est même pire pour l'entourage !

— Bon, on a fini de critiquer ma moustache, mon costard ou ma pipe : on peut passer à autre chose ?

— Avec plaisir, cher partenaire de crime. Je suis simplement ravie de voir que même le « Grand Jacques » a eu ses moments de faiblesse… continua de taquiner Jeanne, sous les yeux écarquillés de Nicolas.

— Un petit Scrabble ? proposa Martine.

— Si on fait un Scrabble, moi, je vais me coucher, prévint Alexandre, aussitôt soutenu par Stéphanie et Nicolas.

— Un Uno, alors ?

— D'accord, mais pas de triche cette fois, Martine ! intervint Stéphanie. On suit les vraies règles, pas les règles Le Guennec !

— Cela m'étonnerait que ma femme triche, répliqua Jacques.

— Vous ne l'avez pas vue au ski en février ! Il y a tellement de choses qui vous étonneraient, si vous saviez, Jacques. D'ailleurs, elle vous a montré son petit tatouage ? demanda Jeanne.

— Bon, on joue ou on se raconte nos vies ? coupa Alexandre.

Le vin du dîner aidant, l'ambiance était détendue. Jeanne et Laura préparèrent des mojitos, pendant que les garçons installaient la table pour jouer. Après deux heures de jeu passionnées, de cris, de cartes cachées sous la table, et de belles-filles hystériques à chaque Le Guennec pris en flagrant délit de triche, les couples regagnèrent leurs chambres, où les débriefings nocturnes commencèrent.

— Qu'est-ce que c'est que cette histoire de tatouage, Martine !? demanda Jacques, interloqué. Je n'ai pas voulu en faire une histoire devant les enfants, mais tu aurais pu m'avertir quand même. J'ai l'air d'un idiot, à être le dernier à l'apprendre !

— Mais c'est un tout petit tatouage de rien du tout. Cela ne vaut pas la peine d'en faire tout un plat ! Tu veux le voir ? proposa Martine en enlevant ses mi-bas.

Effectivement, elle avait choisi la sobriété. Le tatouage, tel un lien, décorait la cheville fine de la sexagénaire.

— Ça va. C'est mignon. Ça me plaît bien. J'ai l'impression d'être avec une petite jeunette un peu rebelle… dit Jacques en enlaçant tendrement sa femme. Ça m'émoustille, même. Tu aimerais que je m'en fasse un ? Une ancre sur le biceps ? ajouta-t-il pour plaisanter.

— Quelle horreur ! gloussa Martine en embrassant son époux.

Dans la chambre voisine, Stéphanie prévenait Matthieu :

— Si demain ton père fait encore sonner le téléphone pour nous tirer du lit à 9 heures, je fais mes valises et je vais m'installer chez Antoinette.

— Mais tu es parano, ce n'est pas lui ! C'est un hasard si le téléphone sonne. Cela doit être des démarcheurs qui attendent 9 heures pour commencer à travailler.

— Tu es vraiment trop indulgent, mon pauvre. Et je ne veux plus te voir tricher comme ça ! C'est quoi cette « éducation Le Guennec » ?! Aïe ! Ton fils me torture... Il appuie sur ma vessie. Et voilà, j'ai encore envie de faire pipi. Vivement que ça se termine !

Dans la chambre suivante, Laura et Alexandre venaient de faire monter en cachette leur chien Jack, qui s'était déjà installé confortablement sur le lit.

— Est-ce que demain on peut faire un truc qui sorte de l'ordinaire ? Cet été, je veux éviter les journées ennuyeuses à répétition : barbecue, sieste des petits, plage et apéro saucisson. Tu ne veux pas qu'on aille à Dinard, en amoureux ? Il y a peut-être une expo. En plus, demain nous ne sommes pas de corvée de repas.

— Pourquoi pas, temporisa Alexandre. Mais moi j'aime bien aller à la plage, et faire des photos des petits qui jouent. Et demain, ils ont prévu grand beau temps ! Il faut qu'on profite de la plage.

— Merci pour le soutien ! Tu es déprimant. Allez, bonne nuit, conclut Laura en lui tournant le dos.

Dans la dernière chambre, la plus petite, au bout du couloir, la discussion était houleuse entre Jeanne et Nicolas.

— Je te dis juste « fais attention ». Ce n'est pas ton pote, c'est mon père. Je trouve que tu le rembarres et le charries un peu trop, c'est tout ! disait le jeune chef.

— Non mais je rêve ! Il se comporte en vrai macho, critique ouvertement mon accent et n'est pas non plus irréprochable niveau nicotine, et je devrais me taire ! protesta Jeanne.

— Ce n'est pas que ça. « Salut partenaire… » Tu te crois au collège ou quoi ?

— Bon, il faudrait savoir ! Je suis censée faire quoi, quand je suis dans ta famille ? Me taire ? Nicolas, sérieusement ?

— Allez, arrêtons-nous là. Tu comprends tout de travers. Viens dans mes bras.

— Dans tes rêves, Nico. Je fais ma corvée de cuisine demain et je pars chez ma mère pour la fin des vacances.

— C'est ça ! Rentre chez maman ! lui lança Nicolas en quittant la chambre, énervé.

Il croisa Stéphanie qui sortait des toilettes et lui hurla :

— Vraiment adorables, les belles-filles ! Vous faites une belle brochette de chieuses !

29

Pas du matin !

Jacques était d'une humeur radieuse. Il avait une pêche d'enfer pour sa journée aux fourneaux. Dès le réveil, il était sorti acheter des viennoiseries pour tout le monde et du pain frais. Mais, à 8 h 45, personne n'était levé. Même les petits dormaient encore à poings fermés.

Il se saisit alors de son portable et composa le numéro de la maison. La sonnerie retentit à tous les étages, aussitôt suivie d'un : « On est réveillé, on a très faim nous ! » de Paul et Jules, et d'un : « Je vais le tuer… », prononcé par Stéphanie et accompagné d'un violent claquement de porte.

Martine déboula aussitôt dans la cuisine :

— Ne me dis pas que c'est toi !?

— De quoi ? fit Jacques en prenant un air innocent. Le pain est tout chaud, ma chérie. Et je t'ai pris un chausson aux pommes. Tu sens bon. C'est un nouveau parfum ?

Jeanne descendait les escaliers, avec sa tête des mauvais jours.

— Houlà ! En voilà une qui n'a pas bien dormi, remarqua le patriarche.

— Pas assez surtout ! précisa la jeune femme en apercevant son reflet dans le miroir de l'entrée. Vous me laissez quinze minutes, le temps de prendre un café et une douche, et ensuite on va faire les courses ?

— Entendu « binôme » ! J'ai une de ces formes, ça va être *Eye of the Tiger* aujourd'hui ! Aaaargh ! hurla-t-il à sa belle-fille en serrant les poings tel un boxeur.

Bizarrement, les autres attendirent le départ de Jacques avant de descendre prendre leur petit déjeuner, au calme. Laura proposa à Martine de l'accompagner à Dinard voir une exposition, ce qu'elle s'empressa d'accepter, finalement heureuse de ne pas avoir à décliner comme elle l'aurait fait encore quelques semaines auparavant, étant d'astreinte pour les déjeuners et les dîners.

30

Un panier de crabes

C'était un temps parfait pour profiter de la plage. Comme souvent en fin de matinée, il y avait du vent et l'air était un peu frisquet, mais il ne pleuvait pas. Jules et Paul étaient déjà en maillot de bain et attendaient leurs oncles pour aller se baigner. Alexandre et Nicolas, frileux, auraient préféré jouer aux raquettes mais « ce n'était pas tous les jours qu'ils avaient la chance d'être en famille », comme le leur avait fait remarquer Matthieu.

— Chéri, mets de la crème solaire aux petits, s'il te plaît, lui demanda Stéphanie. Et n'oublie pas de t'en mettre sur le visage. Sinon, tu vas encore avoir le nez tout rouge.

Elle s'était déjà enduite d'une première couche de crème avant de partir de la maison, mais elle s'était retartinée généreusement avant de passer le tube à son mari. Elle devait faire attention car, avec la grossesse, le soleil pouvait laisser des taches indélébiles sur son visage.

Alors que les garçons descendaient se baigner, Stéphanie, le doigt en l'air, cherchait à déterminer la direction du vent pour planter le parasol au meilleur endroit. Elle comptait s'y abriter et ne plus bouger. Elle sortit ensuite sa capeline, ses lunettes de soleil, ses mots croisés, et s'installa sur le petit fauteuil de plage emprunté à Antoinette.

La marée était basse. Les garçons atteignaient seulement le bord de l'eau. Elle distinguait les minuscules silhouettes de ses fils et celles des trois frères.

Enfin tranquille ! songea-t-elle.

Il n'y avait pas un bruit. Peu de touristes étaient sur la plage ce matin-là, à cause du vent. Installée dans son petit coin, Stéphanie était aux anges. De vraies vacances !

Au loin, les silhouettes semblaient hésiter avant d'entrer dans l'eau. La mer devait être plus froide que d'habitude. Le petit Jules s'amusait à sauter à pieds joints dedans pour arroser les grands, raides comme des piquets, alors que son grand frère, Paul, plus téméraire, donnait de grands coups dans l'eau pour éclabousser complètement ses oncles.

Ça va mal finir cette histoire, Paul. Tu vas te retrouver à l'eau, pensa Stéphanie, observant la scène de loin, avant de se replonger dans ses définitions. Pour la première fois depuis des semaines, et peut-être avant longtemps, elle profitait du silence.

— Merci, lâcha-t-elle à voix haute.

Ç'avait été une période difficile pour elle avec ses deux garçons en bas âge. Dans le fond, elle appréhendait l'arrivée d'un petit troisième. Un garçon de plus, plein de vitalité, dans la famille Le Guennec. Elle redoutait également la fatigue, les disputes avec Matthieu, les chamailleries des garçons. Sans parler de sa propre mère qui allait s'installer chez eux les premiers temps, officiellement pour aider, mais surtout pour lui taper sur les nerfs avec ses conseils ultrasécuritaires et complètement dépassés. *Ne pas y penser, continuer à se faire servir dans la famille de Matthieu, et profiter de chaque moment de calme.*

— Houhou ! Stéphanie ! On est là !

La jeune maman souleva le bord de son chapeau et plissa les yeux. Ce n'était peut-être pas elle qu'on appelait. Des Stéphanie, il y en avait eu une ribambelle dans les années 1970-1980. Particulièrement en Bretagne.

— Houhou ! Stéphanie ! Par ici ! C'est nous !

Il lui semblait reconnaître une voix familière, qui avait le pouvoir de l'irriter. *Non, pas lui…*

Jacques était en train de descendre sur la plage avec Jeanne. Ils avaient déjà terminé les courses.

Il s'assit à côté de Stéphanie, déplia énergiquement sa serviette, faisant voler du sable partout, y compris sur sa belle-fille. Jeanne s'assit à même le sable et regarda Nicolas au loin qui se baignait.

— Si je peux me permettre Stéphanie, commença Jacques, avec ce vent qui tourne, il ne va jamais tenir, ton parasol. Toi qui fais toujours attention à la sécurité, tu vas éborgner quelqu'un.

— Il est bien calé, là. J'ai mis une grosse pierre et je le tiens avec le pied.

Jacques gesticulait dans tous les sens pour attirer l'attention des cinq baigneurs frigorifiés qui remontaient vers eux.

— Tu fais quoi ? se hasarda le grand-père.

— Des mots croisés.

— Tu veux que je t'aide ?

— Non, ça va aller. J'avance bien. Je vous dirai si je sèche.

Jacques se rapprocha et lut par-dessus son épaule. Il poussa un « Mmm… » de doute qui fit se dresser les poils de sa belle-fille. Il se retourna sur sa serviette, râla à cause d'une pierre restée en dessous et qui lui rentrait dans le dos, puis se rassit brutalement.

— Jeanne ? Ça te dit d'aller goûter l'eau ?

— OK.

— Stéphanie, tu viens avec nous faire une balade le long de la plage ?

— Non merci, Jacques, je vais rester là tranquillement. Je garde les affaires de tout le monde.

— Allez viens, insista-t-il, on va voir si la mer est bonne et on revient. Ça te ferait du bien de marcher un peu.

Stéphanie bouillonnait mais se retint de faire le moindre commentaire. Elle avait déjà envie de faire pipi, alors si elle se mettait à marcher, elle ne répondait plus de rien.

— Vraiment, c'est gentil, mais sans façon. N'insistez pas. Allez-y avec Jeanne. Ou attendez les petits pour aller chercher des crabes dans les rochers avec eux. Regardez, ils reviennent en courant, dit Stéphanie en se levant pour tendre leurs serviettes à ses trois hommes.

C'est à ce moment que le parasol s'envola, en tournant sur lui-même, prêt à embrocher le premier qui se mettrait sur son passage. Mais personne ne bougea le petit doigt pour le rattraper. Seule une voix se fit entendre :

— Et voilà ! Je vous l'avais bien dit qu'il allait s'envoler !

Stéphanie foudroya son beau-père du regard. Et Jeanne se mit à courir pour récupérer le parasol qui poursuivait sa course dangereuse.

Quand les baigneurs se furent réchauffés, Stéphanie relança son idée :

— Qui veut aller avec papy chercher des crabes dans les rochers ?

Les deux bouts de chou levèrent la main comme à l'école et s'emparèrent des seaux.

— Les enfants, vous mettez vos Méduse. Jacques, vous voulez emprunter les chaussures de Matthieu ? Ça sera toujours mieux que d'y aller pieds nus. Vous risquez de vous blesser.

— Mais non, j'ai l'habitude ! Allez les moussaillons, c'est parti ! dit Jacques en commençant à escalader maladroitement les rochers.

Une heure plus tard, Stéphanie se réveilla de sa sieste au son de la balle en caoutchouc cognant contre les raquettes, qui ne parvenait pas à couvrir d'étranges râles peu virils. Matthieu et Alexandre frappaient dans la balle de toutes leurs forces pour se faire courir le plus possible. Les yeux fermés, on croyait assister à un match entre Monica Seles et Maria Sharapova.

Quand Matthieu marqua le point ultime, il vint embrasser Stéphanie, fier comme Artaban. L'aîné conservait son titre et il n'était pas près de se lancer dans une nouvelle partie pour le remettre en jeu. Stéphanie observa son homme qui soufflait comme un bœuf.

— Je t'avais dit de mettre de la crème solaire. Tu as le nez tout rouge maintenant ! On dirait ton père quand il a bu un verre de trop. À propos, ils ne sont toujours pas revenus de leur chasse aux crabes ?

— Si, mais ils sont allés directement au poste de secours.

— Quoi ? fit la jeune mère, à la fois inquiète et agacée.

— Rien de grave. Papa s'est légèrement entaillé le pied mais, tu le connais, il croit qu'on va l'amputer. Il a demandé à Nicolas et Jeanne de le soutenir pour parcourir cent mètres. Ridicule ! Tiens, quand on parle du loup…

Clopin-clopant, Jacques les rejoignait. Son visage laissait transparaître une douleur insoutenable, ou un jeu d'acteur vraiment très bon. On aurait dit Rambo qui revenait de la guerre du Vietnam. Paul et Jules, sautillant, se précipitèrent pour raconter les malheurs de leur papy en détail.

— Papy, il a un pansement avec la reine des Neiges dessus ! Regarde maman, dit Paul.

— Ah oui, ça vous va bien, Jacques ! Alors, vous avez pu attraper quelques crabes quand même ? demanda Stéphanie à ses enfants. Montrez-moi vos seaux.

— Zuste un, confessa Jules. Papy est tombé tout de suite.

— Oui mais un très gros, précisa ce dernier, un peu vexé. On va se le partager au dîner.

— Qu'est-ce que vous voulez faire d'un seul crabe ? demanda Jeanne. On a déjà prévu un bon repas pour ce soir. Relâchons-le plutôt. La pauvre bête… Je suis sûre que Laura serait d'accord avec moi.

— On ne va pas le relâcher, coupa Jacques, souhaitant que son entaille au pied ait au moins servi à quelque chose. Regarde, il est énorme ! Et tu as vu ses pinces ?

Jacques passa le seau à Alexandre, qui saisit le crabe pour l'examiner de plus près, le retournant dans tous les sens.

— C'est une femelle ou un mâle ? S'il y a du corail, ça peut valoir le coup de le garder.

— J'ai déjà regardé, c'est un mâle. Repose-le, en plus tu ne le tiens pas comme il faut, Alexandre. Si j'étais toi, je ne jouerais pas avec cette bestiole.

Un cri retentit presque aussitôt. Alexandre se tenait le doigt. Le crabe, qu'il avait lâché sous le coup de la douleur, s'échappait sous le rocher le plus proche.

— Je te l'avais bien dit ! s'exclama Jacques. C'est malin, maintenant il s'est enfui. Allez, on rentre déjeuner ! C'est l'heure de « MasterChef »…

31

Chercher midi à 14 heures

Comme on pouvait s'y attendre, le déjeuner de Nicolas avait été excellent. Simple mais savoureux : langoustines et mayonnaise maison en entrée, bar en croûte de sel ensuite, salade de fruits frais en dessert avec sa glace vanille et ses sablés bretons. Plus remarquable encore : la discussion à table avait été légère. Pas de remarques acerbes, ni de prises de bec. Une petite révolution pour la famille Le Guennec ! Jacques, qui serait en cuisine le soir même, s'était abstenu de tout commentaire, redoutant un retour de bâton.

Après ce succulent déjeuner, le binôme Jacques/ Jeanne devait désormais relever le défi et commencer la préparation du dîner. Pour leur laisser la tranquillité nécessaire, Martine proposa :

— Qui vient faire une balade digestive ? Laura, Alexandre, on va voir la bruyère avec Jack ? Et on poussera jusqu'à la maisonnette du bout : ils ont des petites poules toutes mignonnes. Je vais leur rendre visite presque tous les jours. Cela me rappelle chez ma grand-mère. Parfois, je m'y arrête des heures pour les peindre. Venez, Jack va apprécier, j'en suis sûre ! Stéphanie, Matthieu, Nicolas ? Vous vous joignez à nous ?

— Nous, on retourne à la plage, annonça Stéphanie. Rejoignez-nous après. On peut prendre vos affaires de bain si vous voulez.

Jeanne et Jacques pouvaient enfin s'affairer sereinement en cuisine. Au menu : verrines végétariennes en entrée, filet mignon au barbecue puisque le temps le permettait, accompagné d'un gratin dauphinois, et pêches rôties au chocolat chaud avec sa glace vanille. Pas trop compliqué, il suffisait juste de bien s'organiser. Les pêches étaient sur le feu, et les pommes de terre gratinaient dans le four. Il n'y aurait plus qu'à dresser et réchauffer au dernier moment.

Alors qu'ils garnissaient les verrines en silence depuis près de dix minutes, Jacques brisa la glace :

— Tu es une vraie rousse ? se hasarda-t-il.

Décontenancée, Jeanne répliqua :

— Euh, oui…

— Et tu as toujours vécu à Marseille avant de venir travailler à Paris ?

— Oui.

— Et comment t'es venue cette passion pour le vin ? Marseille, ce n'est pas la région la plus évidente pour faire naître une vocation de sommelier, je suppose…

Jeanne fronça les sourcils. Elle ne savait pas si son beau-père s'intéressait vraiment à elle, ou si c'était une manière de dire que la cité phocéenne était plus une référence en matière de truanderie qu'en matière d'œnologie.

Comme elle ne répondait pas, il enchaîna :

— C'est peut-être une passion que t'a transmise ton père ?

— Je n'ai jamais connu mon père. Il a abandonné ma mère quand elle lui a appris qu'elle était enceinte.

— Ah pardon, je ne savais pas… Excuse-moi.

— Ce n'est rien. Il ne m'a jamais manqué. La passion du vin m'est venue assez tard. Je savais que je voulais travailler dans la restauration, mais je ne m'imaginais pas en salle, ni même en cuisine où l'on est coupé du contact avec la clientèle. C'est après ma formation en hôtellerie classique que j'ai choisi cette spécialisation. Et voilà ! Vous avez fini avec ces verrines ? Je vais faire de la place dans le frigo.

Jeanne et Jacques faisaient un peu mieux connaissance depuis près d'une heure quand ce dernier posa une question indiscrète :

— Et ça se passe bien la vie sous le même toit, avec Nicolas ?

La belle-fille lâcha alors une bombe :

— Non, c'est fini. On termine les vacances ensemble mais, on le sait déjà, cela ne marche pas. Je déménagerai à la rentrée.

— Quoi ?! Ce n'est pas possible. Tu plaisantes. Dis-moi que c'est une blague !

— Vous me demandez, je vous réponds.

— Mais vous vous entendez si bien. Qu'est-ce qui s'est passé ? C'est de ma faute ? s'inquiéta Jacques qui se souvenait des remontrances de Martine.

— Cela n'a rien à voir avec vous. Le pire, c'est qu'il ne s'est rien passé de particulier. C'est juste que cela ne fonctionne pas. Malgré nos efforts et le fait que l'on s'aime, cela ne suffit pas. On est un jeune couple, il n'y a pas de morceaux à essayer de recoller. Alors, le mieux, c'est de s'arrêter là, avant que l'on se fasse du mal.

— Pas au point de se séparer quand même, continua Jacques. Si on s'était séparés à la première tension avec Martine, on aurait tenu deux jours ! Peut-être même moins, en ce qui la concerne…

— Mais il y a toujours des tensions entre nous. On n'arrive pas à se dire les choses simplement. On ne sait que s'aboyer dessus. Ce n'est pas ça un couple !

— Pourtant vous semblez toujours proches. Tu me passes le Chavroux, s'il te plaît ?

Jeanne tendit le fromage à son beau-père et retourna à ses aubergines.

— Je crois que nous n'avons pas la même conception du couple, lui et moi. Et le fait de travailler ensemble n'aide pas. Il installe une distance entre nous au restaurant, qui est tout à fait nécessaire, mais il la garde dans la vie privée.

— Je dois t'avouer que je suis surpris. Je vous trouve très câlins au contraire et, si je peux me permettre, je n'ai jamais vu Nicolas comme ça.

— Il repousse mes gestes de tendresse dès qu'on est en public, que ce soit en famille ou avec ses amis. Je ne sais plus comment me comporter avec lui. Je me dis que c'est parce que, parmi ses amis, il a des ex qu'il ne veut pas vexer ou de futures conquêtes. Je deviens parano ! Ça me ronge et lui ne voit rien.

— Mais c'est complètement stupide, si je puis dire ! On ne se sépare pas quand on s'aime, alors qu'il suffit de se parler. Moi, je n'ai jamais été pour, mais peut-être que vous pourriez voir un conseiller conjugal ?

— Je suis fatiguée, Jacques. Et je ne crois pas que cela puisse marcher, surtout s'il n'y en a qu'un qui fait des efforts. Vous voulez goûter l'aubergine crue ? Vous aimeriez peut-être.

— Non merci. Mais on ne peut pas dire qu'on est fatigué à trente ans ! C'est quoi, cette génération qui baisse les bras à la moindre difficulté ! Il faut parler à Nicolas, le secouer. Tu lui as déjà révélé ce que tu ressentais ? Il a répondu quoi ?

— Il esquive le sujet et dit ne pas comprendre pourquoi je ne suis jamais satisfaite, alors qu'il fait plein d'efforts. Il me reproche de le critiquer tout le temps et de ne jamais dire ce que je veux vraiment. Si vous voulez mon avis, il n'y aura jamais assez de place dans le frigo pour toutes nos verrines ! On a vraiment exagéré sur les quantités : on a vu deux fois trop grand.

— Ça, je pense que c'est un problème féminin. Martine est pareille. Je parle du fait de ne jamais dire explicitement ce que vous voulez. Elle attend de moi des choses qu'elle ne demande jamais. Et, bien sûr, elle fait la tête quand c'est trop tard, que j'ai loupé le coche. Et ça fait plus de quarante ans que ça dure ! Elle pourrait m'aiguiller un peu, quand même. Avec le temps, j'ai appris à interpréter chaque « ça serait bien si… » ou les « ça fait longtemps que… », mais j'en laisse encore passer beaucoup. Nous n'avons pas la radio programmée sur la même fréquence, nous les hommes.

— Et ça va mieux, maintenant, avec Martine ? Depuis février, je veux dire ? Vous êtes repassés en vitesse de croisière, non ?

— Pas vraiment… Je suis « à l'essai » en ce moment. Même après tant d'années de mariage, rien n'est jamais acquis ! Les choses changent, les gens aussi, et il faut pouvoir prouver que l'amour reste aussi fort. Par exemple, j'ai vécu plus de soixante ans en étant persuadé que je n'aimais pas la roquette. Eh bien maintenant j'adore ça ! J'en mangerais à chaque repas si je le pouvais, dit-il en remplissant sa verrine de roquette et chèvre frais.

Jeanne le regarda d'un air circonspect.

— Bon, d'accord, ce n'est pas le meilleur exemple, reprit-il. Mais ce que j'essaie de te dire, c'est que les gens changent, même les plus têtus. Ils ont juste besoin parfois d'un électrochoc, conclut-il en avalant une feuille de roquette.

— Ne le prenez pas mal, mais je retrouve beaucoup de vous en Nicolas, et je suis loin d'avoir la patience de Martine. Il me bride trop, me dit quoi faire, comme s'il était mon père, alors que je n'en ai pas eu et que je n'en ai jamais eu besoin. Jacques ? Je vous ai perdu… Vous êtes vexé ? Vous ne dites plus rien.

Jacques avait les deux mains sur la gorge et les yeux exorbités. Sa respiration s'entrecoupait. Il était en train de s'étouffer.

Quand il essaya de parler, seul un filet de voix rauque sortit de sa bouche. Jeanne paniqua, mais essaya de se ressaisir tout de suite :

— Ça va aller, Jacques ! Prenez-ce verre d'eau. Allez-y, buvez.

Cela sembla empirer. Elle attrapa son portable et réalisa qu'elle ne connaissait pas le numéro des urgences : 112 ? 118 ? 115 ? Elle fonça sur le téléphone fixe et composa le 18. Elle activa le haut-parleur et retourna auprès de son beau-père. Elle tenta de le faire recracher en appuyant de toutes ses forces avec ses poings sur son thorax. Jacques était maintenant écarlate, les veines de son cou apparentes. Quand les secours répondirent et lui demandèrent de confirmer son adresse, nouveau moment de panique : elle ne la connaissait pas. Elle courut dans l'entrée et trouva, par miracle, le courrier du jour.

— Jacques, tenez bon. Vous ne pouvez pas faire ça à Martine ! Tenez bon, les secours arrivent dans quelques minutes. Restez avec moi, je les entends. Jacques ? Non, ne lâchez pas maintenant !

32

Il ne manquait plus que ça !

Jeanne patientait depuis de longues minutes dans un couloir de l'hôpital de Saint-Brieuc. Elle regardait les médecins entrer en trombe dans la salle où Jacques avait été emmené. S'il mourait à cause de son manque de réactivité, elle ne pourrait jamais se le pardonner. Elle avait pourtant suivi des cours de secourisme. Pourquoi n'avait-elle pas été capable d'expulser cette maudite feuille de roquette ?

Elle avait la nausée. Elle chercha les toilettes du regard, ou le pot d'une plante verte, puis courut soudainement au-dehors pour prendre l'air. Elle tremblait de tout son corps, ne sachant si elle allait tomber dans les pommes ou vomir. Elle était secouée de spasmes, et la seule idée de fumer une cigarette la dégoûtait. Il fallait qu'elle se reprenne, qu'elle soit forte, qu'elle retourne à l'intérieur pour pouvoir intercepter le premier médecin. Pour savoir.

Même si elle n'était là que depuis quelques minutes, cette attente lui était insupportable. Les pompiers avaient fait très vite, par chance ils n'étaient pas très loin quand elle avait appelé. Mais elle savait que dans ce genre de situation chaque seconde comptait : un manque d'irrigation du cerveau pouvait laisser des séquelles à vie. *Non, pas ça. Ne pas penser au pire.*

Lorsque Jeanne entra, la porte s'ouvrit soudain sur un homme en blouse verte qui se dirigea vers elle :

— C'est vous qui accompagnez M. Le Guennec ? Vous êtes sa fille ?

— Non… Heu, oui, c'est moi. Comment va-t-il, demanda-t-elle d'une voix tremblante.

Ses yeux s'emplirent aussitôt de larmes. Elle le savait, elle n'était pas prête à entendre le pire.

— Nous avons pu libérer la trachée de votre père et nous l'avons placé sous respirateur. Il est en état de choc. Pour le moment, nous ne savons pas si son cerveau a été correctement irrigué ou non. Il faut attendre les résultats de l'IRM. Restez ici, je reviens dès que j'en sais plus. Essayez de rester calme. Vous avez fait tout ce qu'il fallait.

— Mais j'aurais peut-être pu tenter une trachéo ? Je n'y ai pas pensé.

— Et heureusement pour votre père ! La plupart des trachéos ne sont pas faites correctement et les dommages sont plus grands que le mal initial.

Le médecin n'avait pas été très rassurant, ni très explicite. Jacques était sous respirateur, mais vivant. Elle devait s'accrocher à cela. Elle se rendit compte qu'elle n'avait pas encore pensé à appeler la famille et se mit à pleurer nerveusement. Comment pourrait-elle passer ce coup de fil avec autant d'incertitude ? Elle décida d'attendre, le temps d'avoir les résultats de l'IRM. C'était égoïste, mais pour l'instant elle ne saurait pas quoi leur dire. *Il faut que cela finisse bien.*

Alors qu'elle était dans tous ses états, sa poche se mit à vibrer. Son téléphone. Non, pas ça ! L'écran affichait « Nicolas ». Elle n'aurait jamais le courage de lui annoncer la nouvelle, mais pouvait-elle vraiment ignorer son appel ?

Elle ferma les yeux et décrocha. Des cris retentirent à l'autre bout du fil.

— Jeanne, mais qu'est-ce qui s'est passé ? C'est une catastrophe !

— Attends, je peux tout t'expliquer.

— Mais, vous êtes où, avec papa ? Qu'est-ce qui s'est passé ?

— Nicolas, il faut que tu viennes tout de suite. C'est à cause de la feuille de roquette !

— Je ne comprends rien. Je ne t'entends pas. Où es-tu ? Tu n'es pas à l'intérieur au moins ?

— À l'intérieur de quoi ?

— De la maison, Jeanne. Il y a le feu !

33

Je n'aime pas les médecins !
Je me soigne par le mépris

Quand le reste de la famille débarqua à l'hôpital, ils étaient méconnaissables. Couverts de suie, les yeux cerclés de noir, des traînées de larmes séchées sur le visage. Voir la maison se consumer sous leurs regards impuissants les avait complètement ébranlés. Jeanne s'avança vers Martine pour tenter de la rassurer.

— Jacques est sous respirateur. Le médecin va arriver d'un instant à l'autre pour nous donner des nouvelles. Venez vous asseoir.

— Non, je veux voir le médecin. Je veux voir le médecin, tout de suite ! hurla Martine, hystérique.

— Je vais voir si je le trouve. Ne bougez pas ! Je reviens.

Jeanne se mit à courir, elle n'avait aucune idée d'où se trouvait le médecin, mais il fallait qu'elle fuie. Qu'elle échappe à la détresse de Martine, à sa culpabilité grandissante, et à sa propre impuissance. Elle se dirigea vers la porte battante par laquelle avait disparu le praticien. Elle regarda à travers la fenêtre hublot de chaque porte, mais ne distingua personne.

Tout à coup, enfin, elle reconnut le visage de Jacques. Elle le vit, allongé dans une chambre, seul. Avec un masque à oxygène. Sa poitrine se soulevait avec régularité, mais ses yeux restaient clos.

— Que faites-vous là ? demanda une voix autoritaire derrière elle.

C'était le docteur qui s'était adressé à elle plus tôt.

— Je vous cherchais. Toute la famille est arrivée et je ne sais pas quoi leur dire. Avez-vous les résultats de l'IRM ? Dites-moi qu'il va se réveiller ! Qu'il va s'en remettre ! Sans séquelles ! S'il vous plaît ! implora-t-elle en élevant la voix.

Le médecin l'éloigna de la chambre et la reconduisit, tranquillement mais fermement, de l'autre côté de la porte battante. Jeanne essaya de retenir les larmes qui débordaient de ses yeux.

En découvrant la tribu rassemblée, couverte de suie, le médecin eut d'abord un mouvement de recul, puis interrogea de sa voix grave :

— Vous êtes la famille de M. Le Guennec ?

Martine s'avança :

— Oui, nous sommes sa famille. Je suis sa femme. Comment va-t-il, docteur ?

— Votre mari nous a fait une très grosse frayeur, mais il va s'en remettre. Il s'est réveillé il y a vingt minutes et a demandé à vous voir. Il était tout à fait lucide et se souvenait de l'accident. Pour le moment, il dort à nouveau. Les résultats sont bons, le cerveau a été épargné. Quelques hésitations de plus avant d'appeler les secours, et le pronostic n'aurait pas été le même. Vous pouvez remercier votre fille, ajouta-t-il en regardant Jeanne qui était au bord de l'évanouissement. Et les pompiers !

À ce dernier mot, tous repensèrent à l'autre drame qui s'était produit et au combat des pompiers contre les flammes. Mais la maison pouvait attendre.

34

Laver son linge sale en famille

Aucun d'entre eux n'avait envie de s'éloigner. Tel un bloc solidaire, ils attendaient le réveil de Jacques. Ce moment fatidique où ils pourraient vérifier, de leurs propres yeux, qu'il était réellement sain et sauf. Plus de deux heures s'étaient écoulées. Il faisait nuit désormais, et leurs tenues de plage paraissaient plus que jamais inappropriées. La faim commençait également à les tenailler. Le doute aussi. Personne n'osait aborder le sujet mais où allaient-ils dormir cette nuit ? D'ici peu le personnel de l'hôpital les reconduirait vers la sortie.

— Famille Le Guennec ? Vous pouvez m'accompagner, M. Le Guennec est réveillé.

Toute la troupe suivit docilement le médecin et s'agglutina devant une porte quand le docteur précisa :

— Vous avez cinq minutes maximum, et pas plus de deux à l'intérieur en même temps.

Ils se regardèrent. Tous voulaient entrer, mais naturellement, ils adressèrent un regard encourageant à Martine.

— Vas-y d'abord, maman, dit Matthieu.

Quand elle poussa la porte, elle sentit les larmes monter. *Non, pas ça. Je suis forte. Je n'ai pas craqué jusqu'à présent, alors pas maintenant.*

Son mari tourna la tête vers elle, et Martine se jeta sur le lit, le serrant dans ses bras de toutes ses forces. Il avait encore son masque à oxygène qu'il tenta alors d'enlever. Martine lui fit non de la tête puis le regarda droit dans les yeux :

— De la roquette !? Vraiment ? Je m'étais presque faite à l'idée que ton amour du saucisson et du fromage te causerait du souci, mais la roquette ! Toi et tes nouvelles lubies de jeune !

Jacques lui lança un regard tendre.

— Et tu sais que le médecin nous a dit que, chez les personnes âgées, la roquette faisait de vrais ravages. Eh oui, tu fais partie du troisième âge, mon pauvre petit chéri !

La poitrine de Jacques tressauta. Il riait.

— Je n'ai pas voulu penser au pire, mais je te préviens : ne t'avise plus jamais de me faire une peur pareille. Je suis sensible, moi ! Et je compte bien passer mes dernières années avec toi, que tu le veuilles ou non.

Jacques prit la main de son épouse et la serra fort. De l'autre main, il enleva son masque et dit doucement :

— Moi aussi, chérie, moi aussi, j'y compte bien !

Derrière la porte, les enfants attendaient que Martine sorte de la chambre, quand Alexandre eut le courage de poser la question qui fâche :

— Et qui se charge d'annoncer à papa que la maison qu'il a reconstruite de ses mains est réduite en cendres ?

Tous se tournèrent vers Jeanne, qui enchaîna :

— De toute façon, en tant que belle-fille, j'ai droit à au moins une boulette, non ? Donc ça, c'est fait ! Où sont mes belles-sœurs d'ailleurs ?

— Laura est dehors, en train de promener Jack. Et Stéphanie ? Mais où est-elle ?

35

Le ridicule ne tue pas

Matthieu aussi avait disparu. Les petits garçons, pas inquiets pour un sou de l'absence de leurs parents, avaient déjà trouvé où passer la nuit.

— Nous, on sait où on va dormir ! déclara Paul.

— Ah oui. Et où, mon cœur ? demanda Jeanne.

— Bah dans la cabane de papy ! En plus, il y a plein de vêtements qu'on pourra mettre comme pyjamas. Et surtout, il y a des bonbons.

Quand Martine ressortit, les cinq minutes étaient écoulées depuis longtemps. Elle se tourna vers Jeanne :

— Jacques veut te parler.

— Ça tombe bien, tu voulais lui annoncer quelque chose, non ? ironisa Alexandre.

Martine avait besoin d'être un peu seule. Elle s'écarta du groupe et s'adossa au mur. Ses jambes flageolaient. Les mains dans les poches de son imperméable, elle y sentit un bout de papier et, soudain, tout lui revint en mémoire : le jeune homme du TGV, ses doutes, ses colères, son besoin d'amour de la part d'un mari souvent à côté de la plaque. Mais aussitôt, et plus forte que tout, ce fut sa peur qui revint la fouetter, comme une claque, quand elle avait cru perdre Jacques. Pour toujours.

Elle essuya les larmes qui coulaient sur ses joues et qu'elle ne parvenait plus à retenir. Lentement, elle s'éloigna un peu plus, jusqu'à une poubelle. Elle y abandonna le papier qui maintenant lui brûlait presque les doigts. Sans un regret. Sans un regard en arrière. Elle n'avait plus besoin de ce numéro de portable. Elle n'avait plus besoin de l'attention d'un jeune inconnu rencontré par hasard dans un train. Elle avait besoin de son mari à ses côtés. Pour toujours.

Jeanne était surprise que son beau-père ait voulu la voir. Elle. Le stress l'envahit à nouveau. Pourvu qu'il ne lui reproche pas d'avoir échoué à évacuer la feuille de roquette ! Elle entra lentement dans la chambre et s'assit sur la chaise près du lit. Jacques enleva à nouveau son masque :

— On n'a pas fini notre discussion, Jeanne. Je viens de me faire très peur. Tu sais qu'on est tout à fait conscient quand on s'étouffe ? Et des tonnes de choses stupides vous passent par la tête. Comme : « Merde, ça y est, je suis en train de mourir. C'est aujourd'hui. Et à cause d'une feuille de roquette. Tiens bon ! Ne donne pas une raison supplémentaire à ta famille de se moquer de toi à ton enterrement. Quitte à mourir, autant que ce soit en héros ! » Sur le coup, c'est cette peur du ridicule qui m'a fait lutter. Et puis, seulement après, on pense à ce qui est vraiment important : la famille. Si Nicolas n'est pas le bon, continue à chercher ton bonheur. Tu es jeune, tu as toute la vie devant toi. On te regrettera sincèrement et Nicolas aura des remords, mais tant pis pour lui.

Jeanne resta silencieuse. Cette discussion ne correspondait pas du tout à son état d'esprit. Sa probable rupture était le cadet de ses soucis. Jacques sembla s'en rendre compte :

— Ah oui, bien sûr, tu ne t'attendais pas à ça mais, tu vois, je sais lire entre les lignes, parfois. Je ne suis pas honnête avec toi. Quand je luttais en me disant que le ridicule ne tue pas, c'est toi qui m'as le plus aidé. Tu as eu les bons réflexes. Tu m'as sauvé la vie, Jeanne. Et, comme on dit dans les films, j'ai une dette envers toi. Je te promets d'être moins pénible à l'avenir.

— Alors je vais en profiter… Vous venez de le dire : vous avez une dette envers moi. J'ai bien quelque chose en tête. Vous vous souvenez de la fois où Stéphanie a confondu le diesel avec l'essence ? Vous vous souvenez de la fois où Laura vous a initié à la roquette ? Moi, pour ma part, en partant avec vous pour l'hôpital, il se peut, je dis bien il se peut, que j'aie laissé la gazinière et le four allumés. Et il se peut que le feu se soit, un peu, propagé dans la maison. Un peu… beaucoup…

Jacques chercha fébrilement le masque à oxygène et le repositionna.

— Bon, pour le dire clairement : la maison a brûlé. Disons que maintenant on est quitte ?

36

Jamais deux sans trois

Quand Jeanne ressortit de la chambre de Jacques, elle n'était pas très fière d'avoir utilisé ses belles-sœurs pour se disculper. Mais bon, à la guerre comme à la guerre. Elle s'apprêtait maintenant à leur donner des nouvelles de Jacques, mais constata que tout le monde avait l'air surexcité. Ce qui était plutôt inapproprié, après l'horrible journée qu'ils venaient de passer.

— Qu'est-ce qui se passe ? J'ai loupé quelque chose ? demanda Jeanne.

— Oui, une bonne nouvelle. Une très bonne nouvelle même, dans cette journée de fous ! ajouta Alexandre.

— Dites-moi ! Qu'est-ce que c'est ?

— Viens avec nous ! fit Martine en lui prenant la main pour l'emmener dans un dédale de couloirs et d'escaliers.

Soudain, ils s'arrêtèrent devant une porte. Antoinette était là aussi. Jeanne entra dans la chambre.

Elle ne fut pas certaine de reconnaître la jeune femme allongée dans un lit qui lui tournait le dos.

— Stéphanie ?!

— Bonjour Jeanne, surprise !

La jeune femme rousse remarqua alors une couveuse avec un tout petit bébé à l'intérieur, qui semblait dormir à poings fermés.

— Quoi ! Il est déjà né ? demanda Jeanne.

— *Elle* est déjà née ! Et elle va bien. Les événements ont un peu précipité les choses, mais c'est une merveilleuse surprise après cette journée horrible. Jeanne, je te présente Bertille !

Malgré son mois d'avance, le bébé, presque rondouillet, semblait en parfaite santé. Même la maman était plus calme qu'à son habitude.

Dans le couloir, Antoinette regroupait ses troupes :

— C'est bon, on est tous là ? Alors on y va. Ma maison est grande, mais on a du pain sur la planche avec tous les lits à faire si on ne veut pas se coucher à minuit !

Laura qui venait de se joindre au groupe informa la vieille dame d'un petit changement de dernière minute :

— Antoinette, on vous rejoint plus tard avec Jeanne. Alex et Nicolas vont faire nos chambres. Alex vous attend déjà dehors avec le chien.

Laura poussa Jeanne dans la chambre de Stéphanie d'un air énigmatique. Leur belle-sœur, surprise, les accueillit avec un grand sourire.

— Stéphanie, on avait une dernière petite chose pour toi avant de te laisser. J'espère que tu as faim et soif…

La jeune mère se redressa subitement sur son lit : un large sourire illuminait son visage. Elle n'osait espérer voir sortir du sac de Laura ce dont elle rêvait depuis des mois…

— Tin-tin !!! fit Laura en présentant une énorme tranche de rillettes d'oie à sa belle-sœur. Et pour les accompagner… Des mojitos ! Et pas *virgin* cette fois…

Jeanne étala une serviette de toilette en guise de nappe sur le lit, puis trancha des morceaux de pain pour toutes les trois pendant que Laura versait les mojitos, achetés dans le bar en face de l'hôpital, dans des gobelets en plastique. Ce n'était pas le grand luxe, mais que c'était bon ! Les trois belles-sœurs raclaient les rillettes très grasses à même le papier du charcutier.

— Un régal ! commenta Laura.

— J'ai envie de pleurer, fit remarquer Stéphanie. Et ce n'est même pas dû à la chute des hormones ! Trop bon !!! Merci les filles. Du fond du cœur.

La bouche pleine, Jeanne qui les observait leur demanda soudain :

— Mais vous avez droit aux rillettes-mojitos toutes les deux ? La végétarienne et la maman parfaite ?

— Tais-toi la belle-sœur et ressers-nous !!!

37

On n'est pas chez mémé !

Alors que petits et grands avaient aidé à faire les chambres au plus vite pour s'endormir tout aussi rapidement, Jeanne n'avait pas trouvé le sommeil. Elle avait gambergé dans son lit, puis s'était résolue à se relever, allant s'asseoir dehors sur les marches de la terrasse, pour contempler le ciel. À Marseille et Paris, elle n'avait jamais vu une nuit aussi étoilée. Elle guettait les étoiles filantes mais, à force de fixer les astres scintillants, elle ne savait plus si c'étaient ses yeux qui reliaient les points brillants entre eux, ou si elle était vraiment autorisée à faire un vœu.

De toute façon, elle n'était plus très sûre de ce qu'elle souhaitait réellement. Quelques heures plus tôt, elle aurait donné cher pour sauver la vie de Jacques ou remonter le temps afin d'épargner la maison. Mais maintenant ne restaient que ses problèmes de couple, qui lui semblaient bien futiles. Elle aurait voulu que quelqu'un lui apporte un scénario pour savoir comment tout cela allait finir.

Dans l'herbe devant elle, elle attrapa une des marguerites qui fleurissaient le jardin d'Antoinette et commença à l'effeuiller. Même s'en remettre au hasard pour prendre une décision ne semblait pas complètement stupide.

M'aime-t-il ? Un peu, beaucoup, passionnément, à la folie… Pas du tout !

Devant le résultat négatif, elle se saisit d'une autre fleur : même résultat. Jeanne décida de changer de question. *Jacques m'en veut-il ? Un peu, beaucoup, pas du tout, un peu… Beaucoup !*

Autre demande : *Combien de fois par an vais-je devoir faire des efforts avec ma belle-famille ? Un peu, beaucoup, pas si souvent, pas du tout, un peu… Beaucoup !*

— Qu'est-ce qui se passe, tu ne dors pas ? demanda Nicolas, tout ensommeillé, visiblement mal réveillé. Jeanne tressaillit, ayant l'impression d'être prise sur le fait : des pétales de marguerite s'étalaient tout autour d'elle. Il vint s'asseoir à ses côtés et en ramassa un.

— C'était une grosse journée. J'ai du mal à faire le vide dans ma tête.

— Si tu t'inquiètes pour la maison ou pour papa, tu ne devrais pas. Tu as fait tout ce qu'il y avait à faire. Le médecin l'a dit : dans ces cas-là, chaque seconde compte, et une seconde perdue à éteindre le four aurait pu lui être fatale. Les choses matérielles deviennent futiles face à ce qui compte vraiment.

— Et qu'est-ce qui compte vraiment, pour toi ? Je ne suis pas certaine de le savoir.

Nicolas tâta sa poche de pyjama, à la recherche, infructueuse, d'un paquet de cigarettes. Il prit une grande inspiration et regarda Jeanne, en silence, lui caressant la joue.

— Non, Nicolas, je veux des mots. Je veux entendre ce que tu désires. Ce qui est important à tes yeux. Et pas d'échappatoire. Pas ce soir.

— Je ne cherche pas à fuir la question. Je cherche les mots justes. En cuisine, on a tendance à dire les choses cash, voire à aboyer. Et jusque-là, c'était d'ailleurs un peu notre façon de communiquer à nous aussi.

Jeanne se raidit. Ce n'était pas le discours auquel elle s'attendait. Soudain anxieuse, elle se saisit d'une nouvelle marguerite, qu'elle martyrisa sans s'en rendre compte.

— Quand je regarde mes parents, surtout après ce qui s'est passé aujourd'hui, je suis fier d'eux. Impressionné, même. Quarante ans ensemble, et toujours amoureux. Comment ont-ils fait pour ne pas s'entretuer ?

— Belle conception de l'amour ! fit remarquer Jeanne.

— Non… Laisse-moi finir. J'essaie de mettre des mots, *mes* mots, sur ce que je ressens, et que je n'ai jamais exprimé.

La jeune femme détourna le regard et fixa à nouveau le ciel. Elle sentait que la suite n'allait pas lui plaire.

— La vie de mes parents ne m'a jamais fait rêver. Mon père a toujours été le roi, et j'ai toujours eu l'impression que ma mère n'était pas si heureuse que ça. C'est peut-être ambitieux, mais moi, je veux pouvoir être sûr que ma femme sera comblée avec moi. Et je sais aussi que ce n'est pas gagné car je suis un vrai con, avec un lourd héritage, qui plus est. Je pourrais faire plus d'efforts, mais je crois, naïvement peut-être, qu'un couple, à ses débuts, ne devrait pas avoir besoin d'en faire. L'amour, c'est censé marcher tout seul quand on a trouvé la bonne personne…

Les yeux de Jeanne s'embuaient et elle sentait sa gorge se serrer. Elle continuait de fixer le ciel mais ne discernait plus rien derrière un voile de larmes.

— Qu'en penses-tu, Jeanne ?

Bah tiens ! C'est bien le moment de me faire parler. De me renvoyer la balle, sans avoir rien dit d'encourageant. Un bon moyen de me laisser décider, à sa place de notre destin.

— Je te laisse terminer, Nicolas, réussit-elle simplement à dire.

Dans le noir, il chercha le regard de Jeanne, qui semblait l'éviter. Il avait l'impression de s'embourber à chaque parole mais voulait être sincère jusqu'au bout.

— Pour être tout à fait honnête, je ne sais pas exactement ce que cela veut dire, « la bonne personne ». J'imagine : une personne dont on est follement amoureux, une personne que l'on regarde discrètement en se disant « J'aimerais qu'elle soit la mère de mes enfants », une personne avec qui on rit des mêmes choses, même cinquante ans plus tard. Une personne avec qui on peut être soi-même, sans avoir à jouer un rôle. Une personne avec qui on sent que c'est une évidence. Une évidence partagée.

— Et tu penses que ça existe ? interrogea Jeanne, le regard toujours au loin, regrettant déjà sa question, parce qu'elle savait qu'elle n'était pas prête à entendre toutes les réponses.

— Oui. Pas toi ?

Jeanne allait exploser. Elle se retint de parler, elle aurait aimé qu'il lui déclare son amour, enfin !

— C'est une très belle définition de l'âme sœur. Est-ce qu'elle colle pour nous ? Est-ce que nous sommes le couple dont tu rêves ? Suis-je « la bonne » ? J'ai besoin de savoir, d'entendre ce que tu penses de *nous* !

Jeanne savait que désormais, il y aurait un avant et un après. Quelles que soient les paroles de Nicolas, elle serait fixée sur leur avenir commun.

— J'aime la vie avec toi. J'aime nos fous rires, nos regards qui se croisent au restaurant, nos disputes aussi. Je me sens vivant, je sens qu'avec toi je m'améliore, je deviens celui que j'aimerais être. Moins sanguin, plus posé. Mais j'ai peur. J'ai peur de ne pas être à la hauteur. Tout semble si évident avec toi, si facile. J'ai souvent l'impression d'être un vrai nul. De ne pas avoir compris comment te répondre sans te braquer, comment te faire plaisir. Je n'ose pas toujours te dire les choses. Tu m'impressionnes ! Alors que ça devrait être moi, le mec de la maison ! J'aurais besoin que, toi aussi, tu perces ta carapace, que tu sois plus tendre, plus sincère. Et que tu me dises que tu m'aimes. Tu ne me le dis jamais, alors je finis par en douter. Et il faut aussi que tu me dises ce que tu ressens, quand tu le ressens. Je sens parfois que quelque chose te ronge de l'intérieur et que tu me le reproches. Mais tu ne me dis rien ! Et oui, je pense que tu es la bonne. Non, je *sais* que tu es la bonne.

Jeanne laissa échapper un sourire. Elle n'arrivait pas à regarder Nicolas dans les yeux mais elle lui prit la main.

— Et regarde-moi, à la fin ! Tu as le droit de pleurer, parfois, Jeanne. Ce n'est pas grave de montrer ses sentiments. Arrête d'essayer d'être la plus forte, la plus parfaite. Regarde-moi ! Moi, ça fait trois minutes que je te dis tout ça en pleurant et toi tu t'évertues à rester de marbre !

Jeanne se blottit dans les bras de Nicolas et, la tête sur son épaule, laissa ses larmes inonder son cou. Elle le serra fort, comme elle ne s'était jamais agrippée à personne, comme si sa vie en dépendait.

38

La vérité sort de la bouche des enfants

Jacques sortit de l'hôpital au bout de cinq jours. À peine dehors, il voulut aller constater par lui-même l'ampleur du désastre. Il savait que cela allait lui faire un choc, mais il était aussi conscient que la maison calcinée avait été le prix à payer pour être encore en vie. Un mince tribut, après tout, pour pouvoir continuer à profiter de ses proches. Et de Martine.

Ils l'avaient tous accompagné. Depuis la rue déjà, les dégâts semblaient impressionnants. Le mur longeant la route était complètement noir, et les rares fenêtres qui n'avaient pas explosé étaient mangées par la suie.

— Le portail a tenu, constata-t-il, amer. Regarde Laura, mes réparations étaient solides. On n'a plus qu'à aller voir si les rambardes sont toujours là, Stéphanie !

Le toit s'était effondré. Les fenêtres avaient volé en éclats et les fameuses rambardes étaient carbonisées.

Martine éclata en sanglots.

— On a tout perdu, Jacques. Tout ! Les photos de famille, les affaires des enfants, nos livres, tes trésors. Tout !

— Mais non, mamie. Il reste la cabane, regarde ! s'exclama Paul en pointant du doigt le fond du jardin.

— Et le potazer est plein de fruits ! ajouta Jules en courant pour aller y faire une razzia.

Jacques s'approcha de la maison, il fallait qu'il aille voir à l'intérieur. Ce n'était peut-être pas si terrible.

— Vous ne pouvez pas entrer, le prévint Laura. Les pompiers l'ont interdit. Il y a un risque d'effondrement.

— Mais justement, il reste peut-être des choses à sauver. Les peintures de Martine…

— Les pompiers vont repasser sécuriser les lieux. Selon eux, il y a peu de chance qu'on puisse retourner habiter en ces murs. Ils parlaient plutôt de tout raser pour reconstruire, poursuivit Laura.

Le père de famille secoua la tête et s'éloigna. Il prenait conscience de ce que tout cela signifiait. C'en était fini de sa maison, celle qu'il avait aménagée de ses propres mains et dont il était si fier. Il allait falloir tirer un trait sur le passé, sur les marques faites par Martine lorsqu'elle mesurait leurs enfants, les traces noires sur les murs faites par les valises quand on les avait montées à l'étage, les rayures sur la table qu'avaient laissées les enfants en coupant le saucisson. Tous ces petits détails, ces défauts qui l'exaspéraient tant, et qui pourtant aujourd'hui représentaient les traces de leur vie de famille heureuse. Envolés, partis en fumée. Pour toujours. Ne restaient que leurs souvenirs.

Jacques ferma les yeux. Il voulait inscrire tous ces moments dans sa mémoire, le plus profondément possible. Il regarda Jules et Paul, et sourit.

— Alors, les garçons, comment vous la voulez, la nouvelle maison ? Il va falloir prévoir une place pour Bertille, peut-être même construire une cabane plus grande !

Les jeunes garçons, la bouche barbouillée de mûres, répondirent en chœur :

— Oh, oui ! Une cabane grande jusqu'au ciel, papy !

— OK, c'est entendu, dit Jacques en faisant mine de prendre un crayon au-dessus de son oreille pour noter. Et pour toi, Laura ? On construit une belle niche dehors pour Jack ? Voire pour Jack et ses futurs amis ?

Laura sourit en signe d'acquiescement.

— Et toi, Jeanne ? Qu'est-ce qui te ferait plaisir ?

Un instant, ils se regardèrent en silence. Leur discussion avait été interrompue sur sa rupture probable avec Nicolas. Jacques ne savait pas ce qui s'était passé entre eux depuis.

— J'aurais besoin d'une grande cave à vin pour toutes les bonnes bouteilles que je vous apporterai chaque année, répondit-elle tout en se blottissant dans les bras de Nicolas. Et d'un écran géant pour regarder avec vous les matchs de foot où Marseille s'impose royalement face à Rennes !

— Et toi, Martine ? De quoi as-tu envie ? J'avais déjà noté le double vitrage et la cheminée qui chauffe vraiment, mais si tu as d'autres désirs je suis à ta disposition. Un jardin d'hiver lumineux pour peindre ?

Martine allait répondre, mais le spectacle de la maison réduite en cendres était si désolant qu'elle sentit ses jambes flageoler. Déjà attentif à sa grand-mère, Paul proposa :

— Viens, mamie, je vais te prêter ma chaise dans la cabane. Moi, je ne suis pas fatigué.

39

Faites comme chez vous ! Pas trop quand même…

Martine et Jacques étaient assis sur les petits tabourets de la cabane. Ils avaient promis aux enfants qui étaient partis préparer le repas chez Antoinette de les rejoindre sous peu.

— Elle est confortable ta cabane, dit-elle en prenant une couverture pour se réchauffer. Ils vont être bien Jules, Paul et Bertille l'été prochain.

— Tu as noté que je n'ai fait aucune remarque sur le prénom de la petite. Même si je ne suis pas fan, j'ai tenu ma langue, pour une fois. Le « Jacques nouveau » est arrivé ! Un petit goût de banane…

Martine sourit à cette référence au beaujolais, mais son mari perçut que le cœur n'y était pas.

— Qu'est-ce qui ne va pas, chérie ?

Les yeux de Martine s'emplirent de larmes. Il lui prit tendrement la main. D'une voix tremblante, elle parvint à articuler :

— C'est dur. Trente-cinq ans, Jacques. Trente-cinq ans de vie dans cette maison. Je revois encore le moment où je suis entrée dans la cuisine pour t'annoncer que j'étais enceinte d'Alexandre. Je revois quand papa est venu un été et qu'il n'a pas arrêté de critiquer ta construction. Je te revois aussi, tous les jours à imaginer avec acharnement la maison parfaite, pour nous, pour ta famille. On a été heureux ici. Je sais que je ne devrais penser qu'au fait que j'aurais pu te perdre, mais une partie de nous vient quand même de disparaître. Et ça me fait mal.

— Martine, c'est un nouveau départ. Un peu contraint et forcé, certes, et moi aussi ça me fait peur. Mais ça ne sera que du positif. On va reconstruire une grande et belle maison ! Où tu auras toujours chaud, où tu auras plein d'espace pour peindre et pour nos petits-enfants. On va leur faire un grenier, comme celui que tu avais quand tu étais petite. Et des chambres plus grandes et mieux insonorisées, en espérant que cela nous apporte des dizaines de petits-enfants en plus !

Martine rit de bon cœur à cette idée.

— Et on mettra une énorme bibliothèque, comme tu en as toujours rêvé ! Et puis, il fallait vraiment faire de la place à nos belles-filles. Comment pouvaient-elles entrer dans la famille alors qu'il n'y avait pas assez d'espace ? Tu rêvais d'une belle maison pour ta retraite, tu vas l'avoir !

— Oui, faisons ça. Elle va être belle, notre nouvelle maison.

Martine sourit. C'est vrai qu'ils étaient tous à l'étroit, dans leurs chambres exiguës et mal isolées.

— Je veux que tu sois épanouie. Que tu aies plein de place pour tes nouvelles toiles. Et si tu veux qu'on prenne un âne, des moutons ou même un chat pour te servir de modèles, on le fera ! Si tu as envie d'ouvrir une chambre d'hôtes, toi qui as toujours rêvé d'avoir une maison accueillante où partager une bonne table, je te soutiendrai. Je m'occuperai du potager et j'emmènerai nos invités faire le tour de la région.

Martine ne s'attendait pas à autant d'enthousiasme chez son mari, surtout après le spectacle de la maison en ruine. Tous ces beaux projets, elle n'osait pas y croire. Ce qui importait maintenant était qu'ensemble ils gardent autour d'eux une famille heureuse et soudée.

— D'accord, Jacques. On en reparlera. Allez, viens. On retourne chez Antoinette, donner un coup de main.

— Non, attends. Tu sais ce qu'on va faire plutôt ? dit Jacques, excité. J'ai une super idée !

— Encore ? Tu as une idée à la minute ! Ça m'effraie plus qu'autre chose... avoua Martine.

Jacques se leva précipitamment, se cogna la tête au plafond trop bas de la cabane et prit la main de sa femme.

— On va partir en vacances, tous ensemble ! C'est toi qui avais raison. Il faut se remonter le moral et, surtout, à quoi ça sert d'avoir des rêves plein la tête et un PEL plein à craquer, si on n'utilise pas l'un pour réaliser les autres ?

— Mais, Jacques, on aura assez d'argent si on veut construire notre grande maison ?

— Il faut bien que ça serve à quelque chose, d'avoir une belle-fille dans les assurances ! Alors, tu veux partir où ? À Venise ?

40

Mais si, il passe par le radiateur, le Père Noël !

Sous le sapin, une lettre.

Cher Père Noël,

Cette année, moi, j'ai été sage. Très sage, même. J'espère que tu te tromperas pas et mettras mon prénom sur la liste des gentils enfants. Et il faut que tu te souviennes que, moi, je veux le beau vélo vert, celui que j'ai vu dans le magasin à côté du Super U. Pas le circuit de voitures. Ça c'est pour Jules. Bertille, on sait pas, elle a pas dit.

Papy dit que, comme tu es très vieux, tu as peut-être Alzheimer. Alors je mets aussi l'adresse où tu peux me déposer le vélo pour Noël. C'est plus sûr, comme ça.

Cette année, c'était la première fois que j'allais voir l'autre mer. Celle du Sud, comme dit Jeanne.

C'est joli aussi. Mais il fait trop chaud, et résultat, il y a pas de neige. On était avec papy et mamie parce que leur maison a cramé. Les gens parlaient tous une langue bizarre, mais la maison était super. Et la piscine, géniale ! On a beaucoup rigolé et personne n'a fini à l'hôpital, même quand papy a cuisiné.

Tu sais, d'ailleurs papy a été plutôt sage cette année. Il a presque pas dit de gros mots, et mamie elle chantonne tout le temps maintenant. Même maman, elle rigole quand papy fait une blague ! Alors si tu veux faire plaisir à papy, je crois qu'il serait content d'avoir la même piscine que celle des vacances dans son jardin. Si, si, c'est lui qui me l'a dit. Et Jules et Bertille étaient d'accord.

Voilà. Je sais pas trop quoi te raconter d'autre. Tu dois avoir froid, toute l'année au pôle Nord, tout seul avec tes lutins. Tu devrais venir voir la maman de Jeanne à Marseille. Elle n'a pas de mari. Elle est très gentille et cuisine très bien. Et quand elle rigole, on dirait un phoque ! Sinon, il y a Antoinette. Mais je pense qu'elle est trop vieille pour toi, car elle m'a dit une fois qu'elle avait vécu avec les dinosaures.

Je te fais des bisous Père Noël. J'espère que tu vas vraiment pouvoir passer par le radiateur (il y a pas de cheminée ici chez Antoinette). Mamie a l'air de dire que c'est possible mais Jules a essayé et ça a pas marché.

Paul

P.-S. : J'aimerais bien que tu envoies quelques lutins pour réparer la maison de papy et mamie. Ils sont pas rapides les anciens collègues de papy, et moi, j'aimerais bien profiter de la piscine et dormir dans le grenier avec Jules et Bertille cet été.

Merci par avance Père Noël.

41

La Der des Der

Dehors, derrière la porte d'entrée, Jacques et Martine, dans leurs beaux vêtements de fête, sautillaient dans le froid en riant comme deux gamins. Pour une fois, ils ne recevaient pas pour Noël et ils n'avaient pas besoin de conduire pour rentrer, alors ils avaient déjà commencé à festoyer.

C'est Antoinette qui ouvrit. Elle leur tendit aussitôt les poubelles à mettre à la benne. On ne change pas une équipe qui gagne… Quand ils furent enfin autorisés à pénétrer dans la maison surchauffée de la vieille dame, ils se rendirent compte qu'ils étaient les derniers arrivés. Toute la famille était déjà assise dans le salon. Tous plus élégants les uns que les autres : costumes pour ces messieurs, jolies robes pour ces dames. Antoinette, elle, portait un chemisier de soie en couleur et avait sa mise en plis des grands jours. Quand la vieille dame découvrit son fils et Martine débarrassés de leurs manteaux, elle siffla d'étonnement :

— Si je peux me permettre, vous êtes magnifiques tous les deux. J'ai l'impression de vous revoir à votre premier rendez-vous ! Martine : cette robe rouge, quelle merveille ! Par contre, tu as oublié de la zipper jusqu'en haut, fit remarquer Antoinette en saisissant la bouteille de prosecco que Jacques avait rapportée de leur voyage.

— Merd… Euh, zut !

En rougissant, Martine jeta un regard complice à Jacques, qui, d'une main experte, remonta la fermeture Éclair.

L'ambiance musicale était inédite pour un Noël chez les Le Guennec : Michel Sardou, constamment imposé par Jacques, avait été remplacé par Julien Clerc, qui avait toujours ravi le cœur d'Antoinette et Martine. *Fais-moi une place* résonnait dans la maison.

— Où sont mes petits cœurs préférés ? demanda la jeune grand-mère, remarquant que personne ne la reprenait sur son gros mot.

— Ils sont en train de démonter le radiateur du grenier, pour mieux laisser passer le Père Noël… dit Stéphanie en rapprochant son oreille du Babyphone.

— Super ! Jacques, allons chercher les cadeaux, tant que les petits ne peuvent pas nous voir. Attendez-nous pour trinquer !

Le dîner prévu par Antoinette était gargantuesque. Pas moins de sept plats ! Foie gras, saumon fumé, huîtres, boudin blanc, chevreuil, fromages, bûche. Un véritable marathon culinaire. L'arrière-grand-mère avait vu grand, en revanche elle n'avait pas pensé aux requêtes des trois belles-filles.

Si cette année Stéphanie n'avait pas d'exigence particulière, Laura, l'expérience aidant, avait apporté son propre repas de fête : macaron au confit d'oignons et pain d'épice, ballotins chèvre, miel et figues, mini-feuilletés à la mousse de cèpes, crème brûlée au parmesan et sorbet citron vert. Après avoir fini de sortir de son sac tous ses Tupperware, la jeune femme aida Antoinette à apporter les flûtes au salon.

— Mince, je t'ai complètement oubliée, Laura ! avoua Antoinette.

— Quand Alexandre m'a parlé de foie gras, chevreuil et boudin, je me suis dit qu'il était plus prudent de venir avec mes propres provisions... répliqua Laura en retournant s'asseoir au salon.

— En parlant de boudin, vous avez vu les dernières élections de Miss France ? rebondit Alexandre.

— Mais tu es horrible ! On ne te permet pas ! s'offusqua Stéphanie. Qu'est-ce que tu dois penser de moi qui n'ai pas encore perdu tous les kilos de la grossesse alors !

— Que tu es une mère de famille épanouie ! répliqua le jeune homme en lui adressant un sourire des plus sincère.

Tandis que les flûtes s'entrechoquaient sur le plateau, Jacques posa la sempiternelle question :

— Combien de verres de prosecco ? Non, attendez, plus simple : qui ne prend pas de prosecco ? Il est sans sulfites, Laura. On a eu du mal à le dénicher celui-là, tu te souviens Martine ?

— Oui, je vais en prendre un peu.

— Pour tout le monde, alors ? Donc neuf flûtes.

Jacques commença à verser le vin quand Jeanne proposa de l'aider. Ravi, il tendit la bouteille à sa belle-fille, qui prit la relève mais se garda de remplir une coupe. On allait trinquer quand Matthieu fit les comptes :

— Attendez, à qui est cette coupe vide ? Quelqu'un n'a rien à boire ? Jeanne ! Une sommelière qui ne boit pas : c'est suspect, ça non ?

— Une annonce, peut-être ? demanda Alexandre.

Jeanne et Nicolas échangèrent un regard complice et un sourire gêné, puis la jeune femme se lança en faisant un clin d'œil discret à Jacques :

— On a pensé que, pour l'été prochain, dans la nouvelle maison, il y aurait assez de place pour un invité surprise…

Toute la famille poussa un cri de joie à l'unisson et se leva pour l'embrasser. Jacques, bien que mis préalablement dans la confidence par sa belle-fille, avait les larmes aux yeux.

— Si tu veux Jeanne, on peut partager le repas que j'ai apporté, proposa Laura. J'avais prévu large, au cas où Jacques aurait eu envie de goûter, dit-elle avec un clin d'œil pour son beau-père. Je n'ai rien fait avec de la roquette, promis juré !

Antoinette réalisait que cette annonce de dernière minute, puisqu'on ne l'avait pas mise au parfum avant, contrairement à d'habitude, compromettait ses plans :

— Cette manie d'être enceinte pour Noël ! Pourquoi faire simple, quand on peut faire compliqué.

— Ne vous inquiétez pas, Laura m'a gentiment proposé de partager son repas végétarien. Je prendrai tout de même du boudin et un micro bout de foie gras. Et que font mes petits neveux préférés là-haut ? Ils sont très sages !

— Oui, je leur ai mis le DVD de *La Reine des Neiges*, répondit Stéphanie.

— Mais, ce n'est pas un dessin animé de filles, ça ? demanda Alexandre.

— Pas du tout ! En tout cas, cette année Michel Sardou va être supplanté par *Libérée, délivrée !* Moi ça fait deux mois que je me réveille avec cette chanson dans la tête. Mes collègues prétendent que je la fredonne même à l'assurance. En tout cas, on est tranquille jusqu'à la fin du repas…

À minuit moins cinq, ils étaient tous en *food coma*. Il restait la moitié de la bûche, qui commençait à s'effondrer dans son plat. Les petits, qui n'avaient pas du tout sommeil, faisaient le compte à rebours. Jacques et Martine avaient hâte que leur famille découvre les surprises qu'ils leur avaient réservées. Si pour leurs petits-enfants ils avaient suivi à la lettre les vœux envoyés au Père Noël, Jacques et Martine avaient eu plus de difficultés à trouver des cadeaux pour les plus grands, surtout pour leurs belles-filles. Ils se demandaient encore pourquoi ils avaient décidé de ne plus faire de cadeaux à message. D'autant qu'ils n'avaient aucune certitude qu'elles feraient de même…

Paul avait distribué les paquets. Chacun avait sa petite pile sur les genoux. Quand la pendule sonna minuit, tous se ruèrent dessus tels des gamins et déchirèrent frénétiquement les emballages. Les petits-enfants et Antoinette découvrirent avec soulagement que le Père Noël n'avait pas cherché à innover et avait suivi les recommandations à la lettre : respectivement un vélo vert, un circuit pour petites voitures et une boîte de chocolats Mon chéri, taille maxi, qu'il faudrait éviter de manger seule et d'un coup, sous peine d'être pompette !

Les trois belles-filles se lancèrent un regard d'encouragement avant de s'attaquer à leurs cadeaux respectifs. Jeanne ouvrit un paquet rectangulaire, qu'elle suspectait de contenir un énième livre, mais fut soulagée de découvrir à la place un ravissant ras-du-cou.

— La pierre appartenait à ma famille. Elle était sertie sur une bague mais l'anneau était minuscule. Je l'ai fait monter en collier. Il te plaît ?

— Martine ! Vous ne pouviez pas me faire plus plaisir. J'adore les bijoux, s'exclama-t-elle en mettant le ras-du-cou par-dessus le sautoir qu'elle portait.

Stéphanie et Laura, qui ne se souvenaient pas d'avoir déjà reçu un cadeau aussi luxueux, scrutèrent avec un peu plus d'intérêt les paquets rectangulaires qu'elles avaient sur les genoux.

Laura ouvrit prudemment le sien qui avait la même couleur émeraude et y découvrit également un collier, une lanière de cuir orange. Pas tout à fait du même standing que celui en or qu'avait reçu Jeanne. Devant la tête circonspecte de sa belle-fille, Martine précisa :

— Tu auras compris que ce paquet vient de Jacques…

Laura fit une moue boudeuse et regarda, perplexe, son beau-père. Jacques éclata de rire :

— Laura ! Tu ne vois pas que ce collier est pour ton chien, Jack ! Pour toi, il y a l'autre petit paquet vert en dessous.

Laura arracha l'emballage et découvrit une boîte marron et turquoise, comme celle des chocolats Jeff de Bruges. Elle qui n'était pas une grande fan de sucreries s'efforça de ne pas paraître trop déçue. De toute évidence, ses beaux-parents préféraient la nouvelle belle-fille, un peu moins casse-bonbons qu'elle. Elle ouvrit la boîte, décidée à partager ses chocolats, histoire d'être certaine de la terminer au plus vite, mais à l'intérieur elle découvrit un tout autre présent que ce à quoi elle s'attendait : un bracelet.

— Waouh ! Il est magnifique. Simple, mais sublime. Et pas du tout tape-à-l'œil : je pourrai le mettre chez Emmaüs sans avoir peur d'être cataloguée « gauche caviar » ! Merci à vous deux. C'est le plus beau des cadeaux de Noël.

Laura se leva et étreignit son beau-père comme elle ne l'avait jamais fait auparavant. Elle était sincèrement touchée.

Les regards se tournèrent alors vers Stéphanie qui regardait son paquet vert, plus petit que celui de ses deux belles-sœurs. Elle tira doucement sur le ruban et trouva une toute petite boîte carrée de cuir bleu. Quand elle souleva le couvercle apparurent de ravissantes boucles d'oreilles en saphir.

Ses deux belles-sœurs se précipitèrent au-dessus de la boîte et s'exclamèrent :

— Kate Middleton a les mêmes ! Elles sont sublimes.

Stéphanie ôta les perles qu'elle portait et mit les pendentifs bleus. Ils lui allaient à merveille et faisaient ressortir ses yeux clairs.

Les trois belles-sœurs, côte à côte, offrirent à leurs beaux-parents un sourire qu'ils ne leur avaient jamais vu.

— Ça suffit, la dilapidation de l'héritage ! plaisanta Nicolas. Et arrêtez de sourire bêtement ! On dirait que vous posez pour le catalogue du Manège à bijoux !

— On profite, fit Laura. On ne sait pas si le Père Noël nous gâtera autant chaque année ! Et vous les garçons, vous avez eu quoi ?

Les trois frères tiraient une tête d'enterrement. Sur les genoux des cadets, des livres. Choisis par leur père. Et à message… Nicolas, le jeune chef et futur papa, avait eu droit à un livre de Françoise Dolto. Pour une fois Jacques n'avait pas été le dernier à découvrir la grossesse d'une de ses belles-filles. Alexandre avait eu droit au *Petit traité contre le sexisme ordinaire*, de Brigitte

Grésy. Il aurait ainsi tout le loisir de poursuivre ses discussions avec sa belle-sœur Stéphanie. Matthieu repartirait chez lui, non pas avec un livre, mais avec les costumes, en taille adulte, d'Elsa et Anna de *La Reine des Neiges*. Sa virilité allait en prendre un coup !

Contents de leur blague, Jacques et Martine regardaient désormais les cadeaux qui les attendaient. Quelle surprise cachaient-ils ?

Le premier paquet que Jacques ouvrit était de Laura : un livre de cuisine végétarienne, agrémenté d'une fiche récapitulative des aliments qu'elle ne mangeait pas. On y retrouvait beaucoup de produits en plus des asperges, kiwis et betteraves.

— Jacques, je me suis permis de mettre un Post-it avec mes annotations personnelles sur deux recettes que vous aviez beaucoup aimées : celle des verrines chèvre-roquette et celle des lasagnes végétariennes *alla parmigiana*.

— Merci beaucoup Laura, s'exclama Jacques. Je ne m'attendais pas à cela, merci ! J'espère que lors du prochain tirage au sort nous serons dans la même équipe : tu pourras m'apprendre de nouvelles recettes.

— Vous pouvez aussi venir plus souvent nous rendre visite à Paris. J'ai investi dans une boîte à pharmacie : vous n'aurez plus besoin de prendre le Stilnox de votre femme, dit Laura en riant.

Jacques saisit un autre paquet. C'était un CD de la nouvelle génération de chanteurs qui reprenaient les tubes de Michel Sardou.

— De notre part à tous. Un autre compromis : vos chansons préférées, mais pour nous moins d'overdose de Monsieur Michel Sardou, expliqua Stéphanie. Et de ma part à moi, celui-ci, dit-elle en tendant un autre paquet.

Jacques ouvrit l'emballage et découvrit un 45 tours gribouillé. Il s'agissait de la toute première édition de 1973 du tube de Michel Sardou *Les Vieux Mariés*. Cette chanson racontait l'amour d'un couple qui vieillit ensemble et essuie quelques tempêtes, mais continue de s'aimer comme au premier jour. Jacques ne voulait pas le montrer, mais il était ému. Stéphanie, qui n'avait pas envie de le voir pleurer comme une Madeleine, reprit la parole :

— J'ai trouvé ce 45 tours et, le même jour, vous ne devinerez jamais qui est passé à l'assurance : Michel Sardou ! Il venait signer un contrat pour ses cordes vocales. Ni une, ni deux, je lui ai demandé un autographe. Au début, il m'a envoyée paître, mais quand je lui ai dit que nous étions normands, il s'est exécuté sans rechigner.

— Mais, on n'est pas normands, on est bretons, et fiers de l'être ! répliqua le patriarche. Tant pis pour l'autographe, je ne laisserai pas les Normands me prendre ma fierté. Ils ont déjà

Le Mont-Saint-Michel. Ils n'auront pas les Le Guennec !

— Oui eh bien je n'ai pas trouvé d'autre idée ! s'excusa Stéphanie. Michel, il a un caractère bien trempé, un peu comme le vôtre, ajouta-t-elle en riant.

Tous se tournèrent alors vers Jeanne. Si pour le permis de conduire elle avait stressé, elle était encore plus angoissée à l'idée d'offrir son cadeau.

— Jacques, c'est une petite bêtise, mais voici, dit-elle en lui tendant une enveloppe.

À l'intérieur, deux billets. Pour le match de football Rennes-Marseille.

— C'est drôle, mais je m'attendais à ce genre d'attention de ta part. Tu me permets donc de t'offrir quelque chose qui te sera fort utile pour le match ?

— Un K-Way ? fit Nicolas, ironique.

— Presque ! Et mon fils je te rappelle qu'en Bretagne il ne pleut que sur les cons ! Ouvre, Jeanne. Tes deux belles-sœurs en ont déjà un…

Jeanne prit le paquet. Dedans, un tissu noir et rouge. Un maillot de l'équipe rennaise.

— Merci Jacques, il ne fallait pas : maintenant j'ai l'excuse parfaite pour vous offrir le complément aux billets pour le match, dit Jeanne en tendant un paquet similaire à celui qu'elle venait d'ouvrir.

Jacques découvrit avec amusement qu'il s'agissait également d'un maillot de football. Mais bleu et blanc, celui de l'équipe marseillaise. Le dos était floqué : *Notre Jacques, toujours droit au but*. Jacques enfila le maillot marseillais et demanda :

— Et alors, ton fils, Jeanne, il supportera Rennes ou Marseille ?

Épilogue

C'était inespéré, mais les entrepreneurs y étaient parvenus. J-1 avant les grandes vacances, la nouvelle maison de Jacques et Martine à Dinan était enfin prête. Après presque un an de travaux. Le dernier chantier de Jacques, avant sa retraite.

De l'extérieur, la maison reconstruite avait de l'allure. Plus grande et avec toujours ce cachet breton unique. De magnifiques pierres, des huisseries blanches immaculées, un petit chemin de cailloux qui longeait de nouveaux arbres fruitiers et, pour accéder à l'entrée de la maison, une tonnelle recouverte d'une glycine violette dont le parfum accueillait de façon chaleureuse les invités.

Sur le pas de la porte, les nouveaux propriétaires n'osaient même pas pénétrer à l'intérieur. Bien sûr, ils avaient suivi la progression des travaux, mais là, c'était bel et bien terminé. Jacques avait suivi le chantier de loin, c'était son successeur qui avait tout supervisé : l'électricité, les arrivées d'eau, l'insonorisation, les dernières normes de sécurité. Jacques avait également reçu de nombreux conseils de Stéphanie.

Martine, elle, avait dessiné la cuisine ouverte et la table – « la plus grande possible ! ». Avec les rallonges, ils tiendraient facilement à vingt. Elle s'était occupée aussi de son jardin d'hiver pour pouvoir peindre quel que soit le temps. Le double vitrage et la cheminée, c'était déjà réglé.

Alexandre avait insisté pour avoir les poignées de porte et les interrupteurs les plus beaux. « Les finitions, c'est important », répétait-il à son père alors que le toit et les murs n'étaient même pas encore posés.

Les autres avaient été moins exigeants. Enfin…

Laura tenait à avoir une niche de luxe chauffée pour Jack (et très grande, quatre mètres sur trois). Nicolas voulait des cabines de douche mais Matthieu, des baignoires. Jeanne, une cave à vin gigantesque. Et Antoinette, une chambre attitrée avec salle de bains attenante, au rez-de-chaussée.

Pour Jules et Paul, c'était plus facile car ils avaient été très explicites : un dortoir mais « avec des volets qui ferment mieux qu'avant », un grenier « grand comme ça » et avec « un vrai trésor de pirates », des nouveaux Kapla (mais de couleur cette fois), une balançoire pour Bertille, et la même piscine que lors des dernières grandes vacances, avec « le grand crocodile gonflable qui flotte dedans ». Et aussi, plus de fraisiers et framboisiers, parce que « Jules mange toujours tout, et après il n'y en a plus pour les autres ».

Quand Jacques et Martine avaient pénétré dans leur nouveau chez-eux, ils étaient émus. Et très fiers du résultat. Le portemanteau à patères avec le prénom de chaque membre de la famille, les photos d'Alexandre accrochées aux murs, où seul un œil averti pouvait reconnaître les silhouettes des petits-enfants de dos sur la plage. Une bibliothèque noire avec d'épaisses étagères pour accueillir des tonnes de livres, et également la faïence. Pas n'importe quelle faïence : des bols bretons nominatifs étaient fièrement disposés les uns à côté des autres. Une vraie petite famille ! La grande cheminée dégageait une chaleur douillette. Les lits gigantesques avec leurs couettes chaudes appelaient à des grasses matinées, bien au-delà de 9 heures du matin ! Oui, ils avaient bien travaillé, et Martine savait qu'ils se sentiraient bien dans cette maison. Pour sa retraite qui commençait. Elle avait déjà passé le relais à Daniel, son collègue, qui était triste de voir partir son alliée, mais elle avait promis de passer régulièrement déjeuner avec lui. Si Jacques s'était un peu plus renseigné, il se serait rendu compte que le gentil libraire préférait la compagnie des hommes et ne voyait en Martine qu'une amie.

La nouvelle maison serait parfaite pour leurs moments passés à deux, en amoureux, mais également quand leur grande famille viendrait durant les vacances.

Quand les enfants et les petits-enfants entrèrent, Martine identifia subitement ce qui manquait à cette maison pour finir de lui donner une âme. Des voix familières. Des rires d'enfants que les murs pourraient absorber et retransmettre à Jacques et Martine pour leurs futurs souvenirs.

— C'est magnifique, Jacques ! dit Jeanne, frappée par la luminosité. Ce blanc, cet espace. C'est immense ! Rien à voir avec avant, si je peux me permettre.

Avec son énorme ventre de femme enceinte, elle fit une pause sur le canapé face au feu, pendant que les autres s'empressaient de visiter chaque pièce et de monter aux étages découvrir les chambres.

— Ah, cette chambre, ça doit être celle de Jeanne et Nicolas. Il y a un landau. Et tu as vu la taille de la nôtre, Alexandre ! C'est plus grand que notre salon à Paris ! s'exclama Laura.

Même Antoinette était là. Dans sa chambre au rez-de-chaussée, la vieille dame ne cachait pas son enthousiasme :

— Oh, j'ai même ma bouilloire ! C'est adorable, Martine. Ce sera parfait pour mon thé de 4 heures du matin. Comme ça, je n'incommoderai pas tout le monde. Et une douche avec une poignée pour s'accrocher ! C'est mieux que chez moi ! Tu es vraiment une belle-fille adorable, Martine ! Méfie-toi, un jour je vais finir par vouloir m'installer avec vous… Je plaisante ! Je n'aurais jamais assez de courage pour supporter mon fils au quotidien ! conclut-elle en riant.

Alors que chacun comparait et s'installait, Jacques prit Martine par la main :

— Viens, j'ai une surprise pour toi. C'est par là.

Étonnée, Martine le suivit au fond du jardin. Au passage, Jacques lança un petit-beurre Lu au chien Jack qui, dans sa niche de luxe, bondissait en tous sens, excité par sa nouvelle demeure.

Arrivé au milieu du jardin, Jacques se fit encore plus mystérieux :

— Assieds-toi, et ferme les yeux.

Elle prit place sur un des nouveaux transats et entendit Jacques au loin qui rouspétait :

— Argh ! Allez, venez, faites pas vos mijaurées !

Martine, toujours les yeux fermés, entendit son mari s'asseoir sur le transat à côté d'elle.

— Vas-y, tu peux regarder !

Martine ouvrit lentement les yeux et chercha la surprise. Elle ne vit d'abord rien, puis entendit un bruit bien caractéristique : des caquètements.

Là, juste devant elle, trois petites poules se baladaient en picorant, tranquillement, comme de vieilles copines. Il y avait la blanche toute dodue, constamment sur ses gardes : elle courait dès qu'elle était à découvert. Puis la brune, toute maigre. Et enfin, la petite rousse, vive et très bavarde.

— Et bien sûr, elles bossent. Regarde, déjà deux œufs ce matin ! Toi qui adores les petits déjeuners anglais. Surtout, je me suis dit qu'elles feraient de parfaits modèles pour tes futures peintures.

— Mais, elles sont adorables ! Je suis tout émue. J'ai mes petites poules ! Merci Jacques. J'avais toujours rêvé d'avoir des poules, comme chez ma grand-mère. Je suis si heureuse ! Regarde-les, elles ont l'air de se plaire chez nous, dans notre grande famille. Attends, Jacques… Tu ne remarques rien ?

— Quoi ?

— Mais elles ne te font penser à personne, ces petites poules ? Regarde bien : il y a la poule blanche qui joue un peu la maman avec les deux autres, la petite poule rousse dynamique et la grande brune toute mince, qui a l'air de rechigner face à ce ver de terre. Jacques ? Jacques ! Tu l'as fait exprès ou quoi ?

Jacques, de son regard taquin, observa Martine en souriant. Il rit à gorge déployée :

— Je ne vois pas *du tout* de quoi tu parles, se défendit-il avec un rire coquin. Tu as l'esprit très mal placé ! Si tes belles-filles savaient que tu les compares à des poules... Attention, *c'est limite*, chérie ! *Très limite !*

FIN

Pour contacter l'auteur :
aurelie.valognes@yahoo.fr

Retrouvez également Aurélie Valognes
sur sa page Facebook :
Aurélie Valognes – Auteur

ET POUR FINIR…

Si l'histoire de la tribu Le Guennec s'arrête ici, il est fort probable qu'un bon nombre d'entre nous passeront les prochaines vacances en famille, avec des amis, ou peut-être même avec leur belle-famille. La vie en communauté peut être facile pour certains, ravis de retrouver des proches qu'ils ne voient malheureusement pas aussi souvent qu'ils le souhaiteraient, pour partager de bons repas préparés avec amour, vivre des moments simples faits de fous rires et de détente. Et passer des vacances qui filent toujours trop vite.

Pour d'autres, ces instants vécus à plusieurs peuvent être plus difficiles à appréhender, parfois teintés de tensions et, au final, loin d'être de tout repos. À l'opposé de ce que l'on recherche quand on part pour quelques jours de vacances !

À sa petite échelle, c'est le rôle que j'ai essayé de donner à *En voiture, Simone !* Cela me tenait à cœur d'écrire une histoire sur l'intégration dans une nouvelle famille, où il est loin d'être facile de trouver sa place du premier coup. Si le ton se veut léger, j'ai appris que s'accepter tel que l'on est pour se faire accepter en retour est loin d'être chose facile.

En décrivant les choses comme cela, je vais donner l'impression d'avoir vécu des moments horribles avec ma belle-famille, que je salue (et qui découvre ces lignes en même temps que vous, cher lecteur, et qui s'est montrée stressée dès la découverte du titre du roman[1]). Et pourtant il n'en est rien ! Je fais partie des chanceuses qui écoutent ces histoires de marâtres en se disant qu'elles sont vraiment « bien tombées ». Les interrogations, parce qu'il y en a toujours, se sont passées en moi, mais jamais à cause d'une famille d'adoption irascible. Au contraire…

L'académicien Erik Orsenna racontait, il y a encore peu, que son père disait qu'« avoir un écrivain dans une famille était une malédiction ». Le patriarche était en effet très inquiet à chaque sortie d'un nouveau roman de son fils et lui demandait : « Je suis *encore* dans ton prochain bouquin ? » De quoi devenir paranoïaque !

Je dédie ce livre à mes courageux beaux-parents, qui ont la chance incroyable d'avoir

---

1. Allusion au titre d'origine, *Nos adorables belles-filles. (N.d.E.)*

pas moins de quatre adorables belles-filles, dont deux romancières qui utilisent allègrement ces moments familiaux pour enrichir leurs histoires ! Il est ici crucial de préciser que *En voiture, Simone !* est une œuvre de fiction… à 99 %. Je dédie aussi ces pages à mes délicieuses belles-sœurs, Cécile, Sophie et Charlotte. L'union fait la force ! Hâte de vous retrouver pour nos vacances bretonnes ! Avec notre belle-famille qui s'agrandit encore…

J'ai écrit ce second roman enceinte de mon deuxième petit garçon et, à l'instant où je rédige ces dernières lignes, j'attends avec impatience (et le ventre très arrondi) le moment de le rencontrer. Quand vous finirez ce livre, le petit Gaspard sera le roi de mes nuits et mon petit Jules de trois ans et demi celui de mes jours. Une nouvelle aventure pour moi, qui m'inspire déjà pour mon troisième roman. Les relations familiales, à nouveau, plus resserrées sur des personnages atypiques et toujours délurés, mêlant émotions et rires. Je ne vous en dévoile pas plus pour le moment. Rendez-vous l'année prochaine, si le cœur vous en dit…

Enfin, je voudrais *vous* remercier, vous, ma deuxième famille. Vous qui m'avez suivie dans l'incroyable aventure *Mémé dans les orties*, depuis le succès d'autoédition boosté grâce à vos premiers commentaires dithyrambiques. Aux bloggeurs si nombreux à relayer leur coup de cœur pour Ferdinand et aux libraires qui ont cru à la magie qui peut parfois arriver autour d'un premier roman, du fond du cœur : MERCI.

Aujourd'hui, *Mémé dans les orties* a dépassé les 200 000 lecteurs et se fait une seconde jeunesse avec la sortie en Livre de Poche en France, commençant en parallèle son périple multilingue aux quatre coins du monde. Il ne se passe pas une journée sans que j'aie la chance incroyable de recevoir un message de votre part, pour me raconter vos crampes de fesses à ne pas vouloir lâcher le roman avant de l'avoir fini, ou encore à vous faire réprimander du regard dans le métro à force de rire trop bruyamment. Je suis touchée d'apprendre que mes romans passent d'un côté du lit à l'autre, séduisant à la fois Madame et Monsieur ; et qu'ils se transmettent également d'une génération à l'autre. Je vous remercie de me donner cette force, cette envie insatiable d'écrire, qui m'encourage : vous êtes toujours présents à mes côtés, sur la chaise vide du café que je vous réserve, à chaque ligne que j'écris. Si l'écriture est un acte solitaire, parfois difficile, je vous sais près de moi et cela me fait avancer.

MERCI à vous, infiniment. À très bientôt pour une prochaine « rencontre » littéraire, et d'ici là, prenez soin de vous !

Et pour finir…

Mes pensées vont à mon éditeur Michel Lafon, à ses équipes et à Florian Lafani. Merci pour y avoir cru en premier et de m'accompagner dans cette formidable aventure d'une vie.

Mes espérances vont vers mes deux fils que je veux voir grandir aussi longtemps que possible pour avoir la chance de rencontrer mes *adorables* futures belles-filles et leur tribu de petits Bretons.

Et enfin, mon cœur reste à celui qui me soutient depuis près de douze ans. Et particulièrement dans cette folie qu'est l'écriture. Olivier… Une très bonne amie m'a rappelé une chanson dans laquelle il est dit que pour réussir sa vie il fallait « planter un arbre, avoir un fils et écrire un livre »… Olivier, pensons à notre arbre !

Sincèrement,
Aurélie Valognes

Table

Du même auteur :

MÉMÉ DANS LES ORTIES, Michel Lafon, 2015.